Book Three French

Lucy Montgomery

Falco the kestrel is hiding throughout this book.
Write in the boxes below the numbers of the 12 pages where he can be found.

Contents

Q? **Combien de tentacules a la pieuvre?**

Track 1

mon emploi du temps

Nous sommes le

....

Vocabulaire

l'anglais (m)	English
le français	French
la géographie	geography
l'histoire (f)	history
les maths (f)	maths
les sciences (f)	science
l'informatique (f)	IT
la leçon	lesson

The negative
Add ne before and pas after the verb.

Grammaire

le mardi	on Tuesdays
mardi	on Tuesday
J'ai	I have
Je n'ai pas	I haven't
Tu as	You have
Tu n'as pas	You haven't
J'aime	I like
Je n'aime pas	I don't like

1. Réponds aux questions.

Exemple: Est-ce que tu as géographie le mardi? (non) *Non, je n'ai pas géographie le mardi.*

1. Tu as sciences le jeudi? (non)
2. Est-ce que tu as histoire le mardi? (oui)
3. Est-ce que tu as maths le vendredi? (oui)

2. Réponds aux questions.

Exemple: Est-ce que tu aimes les sciences? (non) *Non, je n'aime pas les sciences.*

1. Est-ce que tu aimes le français? (oui)
2. Est-ce que tu aimes l'anglais? (oui)
3. Tu aimes les maths? (non)

3. Écris les jours de la semaine dans le bon ordre.

1.
2.
3.
4.
5.
6.
7.

In French days of the week are written with a small letter.

4. Je sais parler français.

Léo: Salut Louis! Est-ce que tu as anglais le mercredi?

Louis: Oui, pourquoi?

Léo: Parce que j'ai un livre d'anglais pour Antoine et je pense qu'il est dans ta classe.

Louis: Oui, il est dans ma classe. C'est un ami à moi, je m'assieds à côté de lui.

Léo: Voici son livre. Est-ce que tu aimes l'anglais?

Louis: Oui, mais je préfère les maths. Notre professeur d'anglais est sévère mais il est aussi juste. Il est drôle et c'est un bon professeur.

A: Huit (Octo

Q? **Sur quel continent se trouve le Nil?**

Nous sommes le ....

Track 3

Vocabulaire

le cours	lesson
les devoirs (m)	homework
la matière	subject
le professeur	teacher (secondary)
la note	mark (school)
l'élève	pupil
qui	who
très	very

Je suis I am
Je ne suis pas I am not

Grammaire

In this book adjectives are written in their masculine form with the feminine form written beside it. e.g. nouveau (nouvelle)

préféré (préférée)	favourite
nul (nulle)	useless
bon (bonne)	good
mauvais (mauvaise)	bad
fort (forte)	strong

1. Réponds aux questions.

Exemple: Qui est ton professeur préféré? (M. Leclerc) *M. Leclerc est mon professeur préféré.*

1. Quelle est ta matière préférée? (l'histoire)
2. Tu as de bonnes notes en maths? (oui)
3. Tu es une bonne élève? (non)

2. Écris les adjectifs à la forme féminine.

1. nul
2. bon
3. violet
4. orange
5. mauvais
6. fort
7. marron
8. préféré

3. Écris les mois de l'année dans le bon ordre.

In French, months of the year are written with a small letter.

1.
2.
3.
4.
5.
6.
7.
8.
9.
10.
11.
12.

Track 4

4. Je sais parler français.

M. Bard: Levez la main si vous aimez les sciences. Levez-vous si vous avez de bonnes notes en sciences. Eva, pourquoi aimes-tu les sciences?

Eva: Parce que c'est facile.

M. Bard: Romane, est-ce que tu aimes les devoirs?

Romane: Non, je n'aime pas les devoirs.

M. Bard: Pourquoi pas?

Romane: Parce que je préfère jouer avec mes amies.

M. Bard: Qui est fort en français dans cette classe?

Mathéo: Je suis fort en français.

Louise: Moi aussi, je suis forte en français.

Romane: Je suis nulle en français.

A: Afrique

Q? **Quelle est la monnaie des États Unis?**

Track 5

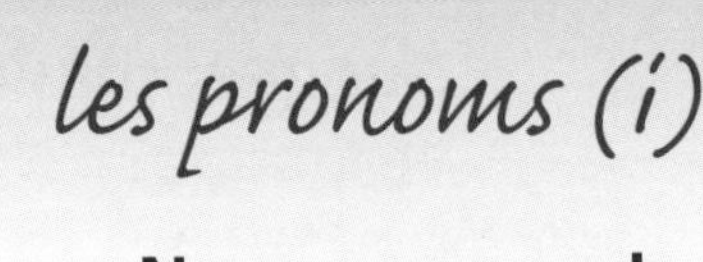

Nous sommes le ....

Vocabulaire

M (monsieur)	Mr.
Mme (madame)	Mrs.
Mlle (mademoiselle)	Miss
il	he/it
elle	she/it
ils	they
elles	they

Always check the vocabulary at the back of the book to see if the plural words are masculine or feminine.

Don't forget that there is no French word for 'it'.
*For all masculine nouns use the word 'he' **il***
*For all feminine words use the word 'she' **elle***

La fraise est rouge.	The strawberry is red.
Elle est rouge.	It is red.
Le citron est jaune.	The lemon is yellow.
Il est jaune.	It is yellow.

1. Remplace les noms avec les bons pronoms.

Exemple: les citrons *ils*

1. la tasse
2. les chapeaux
3. les pâtes
4. Mme Durand
5. les livres
6. la fleur
7. l'éléphant (m)

2. Réécris chaque phrase en remplaçant le nom par un pronom.

Exemple: Les citrons sont jaunes. *Ils sont jaunes.*

1. La crêpe est sucrée.
2. Les petits pois sont verts.
3. Les glaces sont froides.
4. Le gâteau est délicieux.

3. Réécris chaque phrase en accordant l'adjectif avec le nom.

Exemple: Les croissants sont (chaud). *Les croissants sont chauds.*

1. Les pizzas sont (bon).
2. L'eau (f) est (froid).
3. Les jonquilles sont (jaune).
4. Le fromage est (fort).

4. Je sais parler français.

Alice: À table!!

Manon: Mmmm! Ça sent bon! J'adore les pizzas.

Alice: Comment est ta pizza, Manon?

Manon: Elle est délicieuse et chaude. Miam-miam!

Alice: Sers-toi de la salade verte. Elle est fraîche. Fais attention aux frites, elles sont très chaudes. Est-ce que tu aimes le fromage?

Manon: Oui, j'adore le fromage surtout s'il est fort. Est-ce qu'il y a du pain?

Alice: Oui, il est là, derrière le saladier.

A: Le dollar améric

Q? **Quelle est la capitale de l'Espagne?**

Track 7

Nous sommes le ....

Vocabulaire

je	I
tu	you (family/friends)
il	he/it
elle	she/it
on	one, you (in general),we
nous	we
vous	you (formal/plural)
ils	they (m/m&f)
elles	they (f)

Pronouns replace nouns to save repetition.

Grammaire

L'école est ouverte.	The school is open.
Elle est ouverte.	It is open.
Christophe est jeune.	Christophe is young.
Il est jeune.	He is young.

1. Écris les pronoms.

Exemple: un paquet de chips *il*

1. douze œufs
2. un pot de miel
3. trois crêpes sucrées
4. des fleurs jaunes
5. mes parents

2. Traduis en français.

Exemple: The garden isn't big. It's small.
Le jardin n'est pas grand. Il est petit.

1. The cinema isn't open. It's closed.
2. The ice-cream isn't hot. It's cold.
3. The water isn't cold. It's hot.

3. Remplace les noms avec le pronom 'tu' ou 'vous'.

Exemple: ton père *tu*

1. ton professeur
2. tes sœurs
3. le médecin
4. ton chien
5. tes parents
6. ton ami

There are two ways of say[ing] you in French Tu and Vous

Track 8

4. Je sais parler français.

Il fait beau et Lola et Chloé sont à la piscine qui est dans le parc à côté de l'école, près d'une vieille église, et en face du cinéma.

Lola: Est-ce que l'eau est chaude, Chloé?
Chloé: Oui, elle est chaude, c'est formidable! Tu reviens?
Lola: Non, je préfère rester sur ma serviette. Elle est sèche.
Chloé: et ton maillot de bain?
Lola: Il est mouillé.
Chloé: Où est ton livre?
Lola: Il est dans mon sac.
Chloé: et tes lunettes de soleil?
Lola: Elles sont sur ma tête!!

A: Madrid

For vocabulary see page 55

Track 9

le cycle du têtard à la grenouille

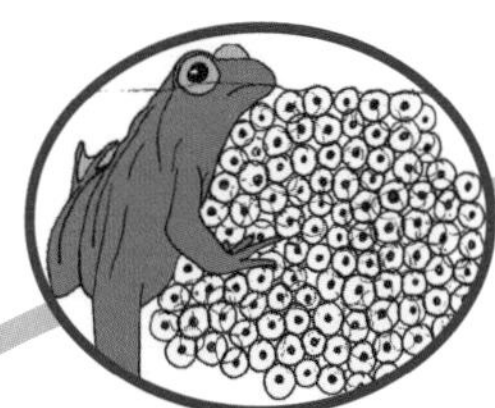

Les œufs ressemblent à des taches noires et ils sont enveloppés par une gelée.

Les œufs éclosent et les petits têtards respirent sous l'eau grâce à leurs longues branchies.

Les têtards nagent. Ils perdent leurs branchies et doivent respirer à la surface.

Les pattes arrière commencent à pousser. Les têtards sont omnivores, c'est à dire ils mangent de tout.

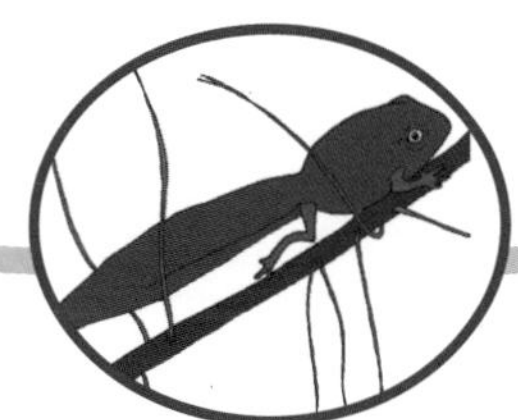

Les pattes avant commencent à pousser. Les têtards mangent des végétaux et des petits animaux.

La longue queue se raccourcit peu à peu. Les têtards deviennent des grenouilles.

1. Réponds aux questions en français.

1. À quoi ressemblent les œufs?
2. Dans quoi sont enveloppés les œufs?
3. Grâce à quoi les têtards respirent-ils dans l'eau?
4. Est-ce que les têtards nagent?
5. Quelles pattes commencent à pousser en premier?
6. Que sont des omnivores?
7. Qu'est-ce que les têtards mangent?
8. Que deviennent les têtards?

2. Traduis les titres des contes de fées en anglais.

1. la princesse au petit pois
2. le vilain petit canard
3. Barbe-bleue
4. les trois petits cochons
5. Boucle d'Or et les trois ours
6. Cendrillon
7. le Petit Chaperon rouge

3. la définition d'une grenouille:

C'est un amphibien, de couleur variée, vert, brun ou roux, frais au toucher, caractérisé par ses pattes postérieures, longues et palmées, qui lui permettent de nager et de sauter.

Je ne fais pas de bruit
quand je me réveille, mais
je réveille tout le monde.
Qui suis-je?
le soleil!
Track 10

Nous sommes le ....

1. Traduis en anglais.

1. J'ai maths à onze heures et quart.
2. Pierre a français à neuf heures et demie.
3. Je n'ai pas anglais le mardi.
4. Elle n'aime pas les sciences.
5. À quelle heure as-tu football?

2. Traduis en français.

All the necessary vocabulary is found at the back of the book.

1. The school isn't open. It's closed.
2. The swimming pool isn't closed. It is open.
3. The soup isn't hot. It's cold.
4. The chips aren't cold. They are hot.

3. Écris les adjectifs à la forme féminine et traduis-les en anglais.

All the necessary vocabulary is found at the back of the book.

Exemple: mauvais *mauvaise* *bad*

1. délicieux
2. chaud
3. bon
4. nul
5. fort
6. violet
7. ouvert
8. orange
9. blanc
10. froid
11. fermé
12. bleu

4. Traduis en anglais.

1. l'œuf
2. la patte
3. la queue
4. la grenouille
5. nager
6. manger
7. le têtard
8. respirer
9. pousser
10. sous l'eau

le vocabulaire (i)

Track 11

Nous sommes le ....

1. Une science décrivant les phénomènes physiques et humains de la Terre.
....

2. le quatrième jour de la semaine
....

3. la langue parlée au Royaume-Uni et aux États-Unis
....

4. un mot qui remplace un nom
....

5. Casse un .... pour faire une petite omelette.

6. Substance sucrée fabriquée par les abeilles
....

7. Travail scolaire qu'on fait à la maison.
....

8. la forme féminine de l'adjectif 'nouveau'
....

9. le contraire de l'adjectif 'nul'
....

10. le huitième mois de l'année
....

11. abréviation du mot 'monsieur'
....

12. Pour faire un .... on a besoin de farine, de beurre et d'œufs.

13. un fruit de couleur jaune et de forme ovale
....

14. Un liquide inodore, incolore qui coule du robinet.
....

15. la larve aquatique des grenouilles
....

16. la jambe d'un animal
....

17. Organe qui permet aux têtards de respirer.
....

18. Un homme ou un animal qui mange de tout.
....

19. Inhaler de l'oxygène et rejeter du gaz carbonique.
....

20. Un chat Manx n'a pas de
....

respirer	une branchie	l'eau (f)	les devoirs	un citron
la patte	un pronom	jeudi	œuf	nouvelle
fort	queue	M.	le miel	le têtard
gâteau	août	un omnivore	l'anglais	la géographie

Q? Comment s'appelle le livre saint de l'Islam?

Track 12

être is the title of the verb. It is called an infinitive.

le verbe 'être'

Nous sommes le ....

Être – to be

Je suis	I am
Tu es	you are (family/friends)
Il est	he/it is
Elle est	she/it is
On est	one is, you are (in general), we are
Nous sommes	we are
Vous êtes	you are (formal/plural)
Ils sont	they are (m/m&f)
Elles sont	they are (f)

les adjectifs

content (contente)	pleased/happy
drôle (drôle)	funny
fâché (fâchée)	angry
fou (folle)	mad
gentil (gentille)	kind
heureux (heureuse)	happy
ravi (ravie)	delighted
sévère (sévère)	strict

1. Traduis en français.

Exemple: He is angry. *Il est fâché.*

1. I am mad. (f)
2. You are happy. (sister)
3. They are kind. (parents)
4. You are funny. (brothers)
5. She is delighted.
6. We are pleased.

2. Complète avec la forme correcte du verbe 'être'.

Exemple: Il *est* dans sa chambre.

1. Je .... contente.
2. Vous .... forts en maths.
3. Elles .... nulles en histoire.
4. Ethan .... mon frère.
5. Lucie et moi .... contentes.
6. Tu .... un génie!
7. De quelle couleur .... les livres?
8. Qu' .... ce que c' ....?

3. Écris le verbe 'être' dans les blancs.

1. _ _ _ _   _ _ _
2. _ _ _ _   _ _ _ _
3. _ _   _ _ _ _
4. _ _   _ _ _
5. _ _ _ _ _   _ _ _ _
6. _ _ _ _   _ _ _ _
7. _ _ _ _   _ _ _ _ _ _
8. _ _   _ _ _
9. _ _   _ _

Adjectives must agree with the nouns they describe.

Track 13

4. Je sais parler français.

Clara: Chloé, as-tu des frères ou des sœurs?

Chloé: Oui, j'ai trois sœurs mais je n'ai pas de frères.

Clara: Comment sont tes sœurs?

Chloé: Mathilde a treize ans. Elle est gentille et douce. Elle adore la lecture. Emma a huit ans. Elle est drôle, musicienne et sportive. Juliette a cinq ans. Elle est mignonne et gâtée. Est-ce que tu as des frères ou des sœurs?

Clara: Oui, j'ai deux frères mais je n'ai pas de sœurs. Maxime a quinze ans. Il est sympa et très sportif. Arthur a douze ans. Il est plus studieux et joue du piano.

A: le Coran

Q? Que mangent les herbivores?

Track 14

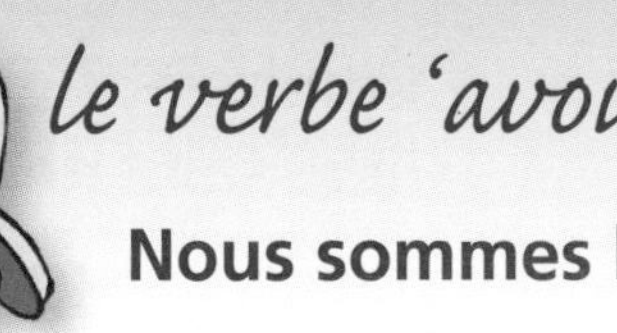

Avoir is the title of the verb. It is called an infinitive.

le verbe 'avoir'

Nous sommes le ....

Avoir – to have

J'ai	I have
Tu as	you have (family/friends)
Il a	he/it has
Elle a	she/it has
On a	one has, you have (in general),we have
Nous avons	we have
Vous avez	you have (formal/plural)
Ils ont	they have (m/m&f)
Elles ont	they have (f)

Grammaire

The verb 'avoir' is usually used in the same manner as 'to have' in English.

J'ai une soeur.	I have a sister.
Nous avons un chien.	We have a dog.
Je n'ai pas de frère.	I don't have a brother.
Nous n'avons pas de chien.	We don't have a dog.

1. Traduis en français.

Exemple: He has a black cat. *Il a un chat noir.*

1. I have a small bedroom. ....
2. You have lots of friends. (parents) ....
3. They have a new car. ....
4. You have a purple dress. (friend) ....

2. Complète avec la forme correcte du verbe 'avoir'.

Exemple: Elle ....*a*.... deux soeurs.

1. Tu .... beaucoup d'amis.
2. Lola .... un nouveau portable.
3. J' .... un ordinateur dans ma chambre.
4. Clémence n' .... pas d'animaux.
5. Elles n' .... pas de jouets.
6. Il n'y .... pas de lait dans le frigo.
7. Nous .... géographie lundi.
8. Je n' .... pas d'argent.

3. Écris le verbe 'avoir' dans les blancs.

1. _ _   _ _
2. _ _ _ _   _ _ _ _ _
3. _ ' _ _
4. _ _ _ _ _   _ _ _
5. _ _ _ _   _ _ _ _
6. _ _ _   _ _ _
7. _ _   _
8. _ _ _ _   _
9. _ _   _

There is no French word for 'got' when used with 'to have'.

4. Je sais parler français.

Louise: Que fait ton frère le samedi?

Gabriel: Il joue au football dans le parc avec ses copains.

Louise: Que fait ta mère le vendredi?

Gabriel: Elle fait les courses au supermarché avec ma tante.

Louise: Que fais-tu le dimanche?

Gabriel: Je nage à la piscine avec mon équipe.

Louise: Que fait ton père le dimanche?

Gabriel: Il lave sa voiture. Il est fier de sa voiture.

A: des plan

Q? Qu'est-ce que le K2?

Nous sommes le ....

Track 16

Most nouns ending in 'u' add an 'x' in the plural.

Vocabulaire

la bougie	candle
le bouton	button
le chou	cabbage
la couleur	colour
le hibou	owl
le moulin	windmill
le pouce	thumb
la soupe	soup
la souris	mouse

Grammaire

mon doigt my finger	ton doigt your finger	son doigt his/her/its finger
ma poule my hen	ta poule your hen	sa poule his/her/its hen
mes doigts my fingers	tes poules your hens	ses doigts his/her/its fingers

1. Traduis en français.

Exemple: your knives *tes couteaux*

1. my mouse
2. his soup
3. its colour
4. my thumbs
5. your candles
6. her owls
7. his mice
8. her button
9. your cabbages
10. its windmill

2. Traduis en français.

Exemple: my oldest sister *ma soeur aînée*

1. his white mouse
2. your kind sister
3. her strict teacher
4. my hot soup

Track 17

3. Écris le bon numéro.

Code de la route
Highway code

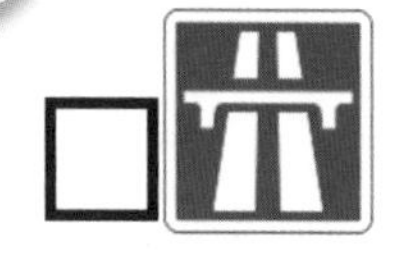
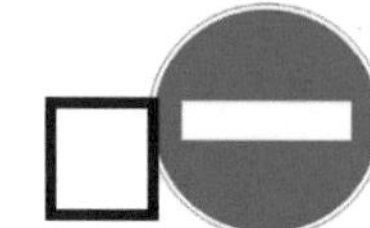

1. virage à droite
2. dépassement interdit
3. sens unique
4. chambre d'hôtes
5. autoroute
6. passage piéton
7. carburant
8. animaux sauvages
9. attention aux enfants
10. sens interdit
11. stationnement
12. feux tricolores

A: une montagne

Q? Comment s'appelle le métro à New York?

Track 18

la forme négative

Nous sommes le ....

Vocabulaire

le bois	wood
la boîte	box
le croissant	croissant
l'étoile (f)	star
le mois	month
l'oiseau (m)	bird
le poisson	fish
la voiture	car
le roi	king

If the verb begins with a vowel the 'ne' becomes n'.

Grammaire

To make a verb negative you add ***ne*** *before the verb and* ***pas*** *after the verb.*

Je suis gentil.	I am kind.
Je ne suis pas gentil.	I am not kind.
Il y a	There is/are
Il n'y a pas de	There is not/are not any

1. Traduis en français.

Exemple: He hasn't got any sisters. *Il n'a pas de soeurs.*

1. We haven't got a garden.
2. They haven't any money.
3. She hasn't got a dog.
4. They haven't any fish.
5. She hasn't got any brothers.

2. Traduis en français.

Exemple: She isn't happy. *Elle n'est pas heureuse.*

1. We are not tired.
2. I am not sad.
3. I haven't any croissants.
4. There isn't any wood.

3. Réponds aux questions avec des phrases complètes.

Exemple: Est-ce que tu as des soeurs? (oui) *Oui, j'ai des soeurs.*

1. Tu as un hamster? (non)
2. As-tu faim? (oui)
3. Est-ce que tu as des devoirs? (non)

ne+avoir+pas de (d')
not to have any/a

4. Je sais parler français.

M. Petit: Est-ce qu'il y a un roi en France?

Baptiste: Non, il n'y a pas de roi en France parce que la France est une république.

M. Petit: Est-ce qu'il y a un bois à Paris?

Baptiste: Oui, il y a le bois de Boulogne mais c'est un parc plutôt qu'un vrai bois.

M. Petit: Quelle est l'étoile la plus proche de la terre?

Baptiste: le soleil

M. Petit: Est-ce qu'il y a des poissons dans la mer morte?

Baptiste: Non, il n'y a pas de poissons dans la mer Morte parce que l'eau est trop salée.

A: subw

For vocabulary see page 55

le corbeau et le renard

Une fable de la Fontaine

Sur un arbre se trouve un corbeau.

Il a dans son bec un fromage délicieux.

Monsieur le Renard, attiré par l'odeur du fromage, arrive. Il a très faim et il veut manger le fromage.

Il va employer une ruse car il est le plus rusé des animaux.

"Quel bel oiseau vous êtes!"dit le renard au corbeau. "Votre voix doit être aussi belle que votre plumage."

Pour montrer sa belle voix et chanter, le corbeau ouvre son bec et fait tomber le fromage.

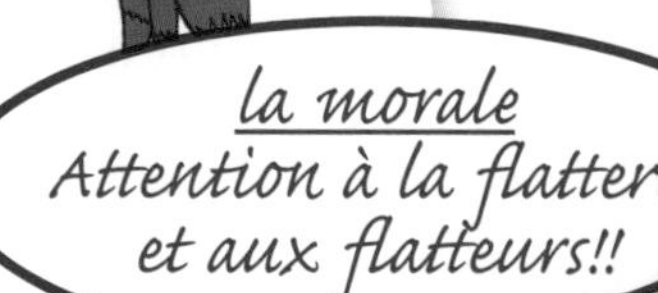

la morale
Attention à la flatterie et aux flatteurs!!

1. Réponds aux questions en français. (Use simple words or phrases.)

1. Comment traduit-on 'un corbeau' en anglais?
2. Qu'est-ce qu'il porte dans son bec?
3. Quel animal voulait (wanted) le fromage?
4. Quel adjectif décrit (describes) le renard?
5. Pourquoi le renard voulait-il manger le fromage?
6. Quel mots flatteurs utilisent le renard?
7. Pourquoi le corbeau ouvre-t-il son bec?

2. Traduis les titres des fables de la Fontaine en anglais.

1. l'âne et le petit chien
2. le berger et la mer
3. le cheval et le loup
4. la cigale et la fourmi
5. le cochon, la chèvre et le mouton
6. le lièvre et la tortue
7. le soleil et les grenouilles

3. Quel temps fait-il?

S
Pourquoi les éléphants n'aiment-ils pas les ordinateurs?
Parce qu'ils ont peur de la souris!
Track 21

Nous sommes le ....

1. Traduis en anglais.

1. Ils ont
2. Tu es
3. Je suis
4. Elle a
5. Nous sommes
6. Vous avez
7. Il est
8. Elles sont
9. Je n'ai pas
10. Elles n'ont pas
11. Il n'a pas
12. Tu n'as pas
13. Elle n'est pas
14. Ils ne sont pas
15. Vous n'êtes pas
16. Nous n'avons pas

2. Écris les adjectifs à la forme féminine et traduis-les en anglais.

Exemple: ouvert *ouverte* *open*

1. gentil
2. drôle
3. mignon
4. heureux
5. fâché
6. vieux
7. content
8. facile
9. ravi
10. sévère

3. Réponds aux questions.

Check very carefully which pronoun you use to start each answer.

Exemple: Est-ce que tu as des frères? (non) *Non, je n'ai pas de frères.*

1. Est-ce qu'il a du pain? (non)
2. Est-ce qu'elle a des bonbons? (oui)
3. Tu as du fromage? (non)
4. Est-ce qu'elles ont des amis? (oui)
5. Avez-vous (plural) froid? (non)
6. Est-ce qu'elle a soif? (non)

4. Traduis en anglais.

1. le bec
2. le renard
3. le fromage
4. le corbeau
5. l'odeur
6. la voix
7. manger
8. employer
9. montrer
10. rusé

le vocabulaire (ii)

Track 22

Nous sommes le

....

1. la forme nominale du verbe ....

2. le sixième jour de la semaine ....

3. un bassin pour la natation ....

4. la sœur de ton père ou de ta mère ....

5. la femelle du coq ....

6. Combien de mois y a-t-il dans une année? ....

7. Quelle lettre n'est pas symétrique? A H I M N O T V W X ....

8. Un grand chien sauvage qui habite dans les forêts du Nord. ....

9. le contraire de l'adjectif 'grand' ....

10. Les lettres PL identifient quel pays? ....

11. Une sirène n'a pas de jambes, elle a une ....

12. le nom de la monnaie unique européenne ....

13. le prénom de la Fontaine ....

14. Un mammifère carnivore qui est rusé. ....

15. la bouche d'un oiseau ....

16. Quel temps fait-il quand l'eau tombe sous la forme de flocons blancs? ....

17. Une étoile qui produit la lumière du jour sur la Terre. ....

18. le plus gros doigt de la main ....

19. De quelle couleur est le corbeau? ....

20. Où est le bois de Boulogne? ....

Jean	**queue**	**la poule**	**un renard**	**petit**
N	**Il neige.**	**la Pologne**	**à Paris**	**douze**
l'euro	**le soleil**	**vendredi**	**l'infinitif**	**le pouce**
une piscine	**un loup**	**le bec**	**ta tante**	**noir**

Q? **Dans quelle ville italienne peux-tu voir des gondoles?**

Je suis désolé(e).
I am sorry.
Track 23

avoir froid etc

Nous sommes le ....

Vocabulaire

avoir froid	to be cold
avoir chaud	to be hot
avoir faim	to be hungry
avoir soif	to be thirsty
avoir peur	to be frightened
avoir ... ans	to be ... years old
avoir de la chance	to be lucky

Tu as de la chance!
You are lucky!

Grammaire

Some English sentences use the verb 'to be' but are translated into French using the verb 'to have'.

J'ai froid.	I'm cold.
Tu as chaud.	You are hot.
Il/Elle/On a faim.	He/She/We are hungry.
Nous avons soif.	We are thirsty.
Vous avez peur.	You are frightened.
Ils/Elles ont onze ans.	They are eleven years old.

1. Traduis en français.

Exemple: He is thirsty. *Il a soif.*

1. They (f) are cold.
2. I'm frightened.
3. You are ten years old.
4. She is hungry.
5. They (m) are hot.
6. I am lucky.

2. Réponds aux questions.

Exemple: Est-ce qu'il a peur? (Non) *Non, il n'a pas peur.*

1. Est-ce qu'ils ont chaud? (Non)
2. Tu as froid? (Oui)
3. Est-ce que tu as soif? (Non)
4. Vous (formal) avez faim? (Oui)
5. Est-ce qu'elle a dix ans? (Non)

3. Écris les nombres en français.

71

84

56

47

90

79

4. Je sais parler français.

Clara: Qui a peur de la forêt quand il fait nuit et que les hiboux hululent?

Chloé: Il est deux heures et demie et nous avons faim.

Clara: J'ai de la chance parce que j'ai beaucoup d'amis.

Chloé: Quand il fait très chaud, on a soif.

Clara: Levez la main si vous avez onze ans.

Chloé: Aujourd'hui, c'est mon anniversaire et j'ai dix ans.

Clara: Je suis désolée, la fenêtre est ouverte. Est-ce que tu as froid?

A: Ven

Q? **Combien d'années y a-t-il dans un siècle?**

There is only one present tense in French.

le présent simple

Nous sommes le

....

Track 25

Vocabulaire

le bassin	garden pond
le flocon	flake
le renne	reindeer
étudier	to study
neiger	to snow
ressembler à	to look like
dehors	outside
dépêche-toi!	hurry up

Verbes

Je pens**e**	I think
Tu port**es**	You wear
Il gèl**e**	He/it freezes
Elle trouv**e**	She/it finds
On regard**e**	One/you/we look at
Nous achet**ons**	We buy
Vous mang**ez**	You eat
Ils arriv**ent**	They arrive
Elles commenc**ent**	They begin

1. Réécris le verbe entre parenthèses avec la bonne terminaison et traduis-le en présent simple.

Exemple: Je (mang**er**) *Je mange* *I eat.*

1. Elle (commenc**er**)
2. Vous (étudi**er**)
3. Nous (regard**er**)
4. Elles (mang**er**)

2. Traduis les verbes en français.

Ça ne fait rien! Never mind!

Exemple: I arrive. *J'arrive*

1. He wears
2. It (m) begins
3. You (singular) arrive
4. They eat
5. We find
6. She looks for
7. I study
8. They think

3. Écris le pronom correspondant en français.

1. you (when talking to your pet dog) ....
2. you (when talking to your parents)..................
3. you (when talking to your teacher)..................
4. you (when talking to your doctor) ....
5. you (when talking to a cousin) ....
6. you (when talking to your friends) ....

Track 26

4. Je sais parler français.

Nathan: Brrrrrrr!! Il fait froid. Je pense qu'il gèle parce qu' il y a de la glace sur le bassin dans le jardin.

Louis: As-tu froid?

Nathan: Non, je n'ai pas froid parce que je porte un manteau, des gants, un bonnet, une écharpe et des bottes. Regarde dehors, il commence à neiger. Quels beaux flocons de neige! Vite, dépêche-toi! On va faire un bonhomme de neige.

Louis: J'arrive tout de suite. As-tu une carotte pour le nez?

Nathan: Non, je pense que mon cochon d'Inde a mangé toutes les carottes.

Louis: Ça ne fait rien – j'ai trouvé une pomme rouge. Il va ressembler à Rodolphe le renne au nez rouge!!

A: cent

Q? **Quel animal porte une coquille sur son dos?**

le présent progressif

Nous sommes le ....

There is only one present tense in French.
Track 27

Verbes

Je jou**e**	I am playing
Tu cach**es**	You are hiding
Il chant**e**	He/it is singing
Elle dans**e**	She/it is dancing
On dessin**e**	One/you/we are drawing
Nous écout**ons**	We are listening to
Vous ferm**ez**	You are shutting
Ils rest**ent**	They are staying
Elles travaill**ent**	They are working

Grammaire

In English there is a second present tense called the present continuous.
This tense does not exist in French.
It is always written in the simple present.

Elle **ferme** la fenêtre.	She is shutting the window.
Il **frappe** à la porte.	He is knocking at the door.
Nous **restons** à la maison.	We are staying at home.

1. Réécris le verbe entre parenthèses avec la bonne terminaison et traduis-le en présent progressif.

Exemple: Vous (nag**er**) *Vous nagez.* *You are swimming.*

1. Elle (ferm**er**)
2. Nous (dans**er**)
3. Elles (dessin**er**)
4. Tu (chant**er**)

2. Traduis en français.

Exemple: I am staying. *Je reste.*

1. He is giving.
2. She is working.
3. We are singing.
4. You (plural) are dancing.
5. They are eating.
6. You are hiding.
7. I am studying.
8. They (f) are playing.

3. Écris le pronom correspondant en français.

1. it (when talking about la chemise)
2. it (when talking about le bonbon)
3. it (when talking about le fromage)
4. they (when talking about les fleurs)
5. they (when talking about les pâtes)
6. they (when talking about les oeufs)

Check the verb
ding agrees with
the subject.
Track 28

4. un poème

Thomas arrive chez ses amis
Jade travaille sur le tapis
Thomas écoute la radio
Jade porte un beau chapeau
Thomas étudie le menu
Jade trouve sa gomme perdue (lost)

Thomas commence ses devoirs
Jade mange une tarte aux poires
Thomas regarde un match de foot
Jade dessine un gros mammouth
Thomas joue avec son frère
Jade range ses affaires (puts her things away)

A: un escarg

Q? Quel est le plus grand désert du monde?

On is often used instead of **nous** in French.

le pronom 'on'

Nous sommes le ....

Track 29

Verbes

Je prê**te**	I am lending
Tu ador**es**	You are loving
Il aid**e**	He/it is helping
Elle visit**e**	She/it is visiting
On devin**e**	One/you/we are guessing
Nous trich**ons**	We are cheating
Vous cach**ez**	You are hiding
Ils pratiqu**ent**	They are practising
Elles continu**ent**	They are continuing

Grammaire

On is a useful word which has many translations in English. It can be translated as one, you, they, we. These words do not refer to any specific person, they are general terms.

On ne sait jamais. — You never know.

On dit que la terre est ronde. — They say the world is round.

On joue au football le mardi. — We play football on Tuesdays.

1. Réponds aux questions avec une phrase complète.

Exemple: Est-ce qu'on mange quand on a faim? (oui) *Oui, on mange quand on a faim.*

1. Est-ce qu'on travaille à l'école? (oui) ....
2. Est-ce qu'on joue au football en France? (oui) ....
3. On trouve les éléphants en Afrique? (oui) ....

2. Traduis en anglais.

Exemple: On joue au football. (le présent simple) *We play football.*

1. On travaille le samedi. (le présent progressif) ....
2. On commence la leçon. (le présent simple) ....
3. On donne les livres au professeur. (le présent simple) ....
4. On reste à la maison. (le présent progressif) ....
5. On arrive à neuf heures. (le présent progressif) ....
6. On cache des œufs à Pâques. (le présent simple) ....
7. On regarde la belle vue. (le présent progressif) ....

Track 30

3. Je sais parler français.

C'est l'anniversaire de Sarah, elle a onze ans. La mère de Sarah cache ses cadeaux dans toutes les chambres en haut. Il y en a beaucoup.
Sarah a de la chance.

À six heures et demie on frappe à la porte. Ce sont des amies de Sarah qui arrivent pour passer la nuit chez elle. Elles cherchent les cadeaux cachés. Sarah trouve le plus grand cadeau dans la salle de bains derrière la porte. C'est un manteau et des bottes. Elle est ravie et très heureuse. Elle remercie ses parents pour le cadeau.

À sept heures et quart elles mangent des pâtes avec de la salade verte et du fromage puis elles mangent une tarte aux pommes avec de la crème.

Elles regardent un DVD, écoutent de la musique et dansent dans le salon.

Joyeux anniversaire Sarah!

A: le Sahara

For vocabulary see page 55

Track 31

Je visite un joli arc-en-ciel avec mes amis.
C'est un demi-cercle de couleurs dans le ciel.
Nous touchons la pluie.

Le soleil nous chauffe avec ses rayons de lumière.
J'ai un pied sur le rouge. Olivier a une main sur l'orange.
Julien se couche sur le jaune. Véronique caresse le vert.
Blanche saute sur le bleu. Inès chante sur l'indigo. Valérie joue sur le violet.

Je trouve les coquelicots, les tomates, les fraises et les cerises.
Olivier trouve les oranges, les capucines et les clémentines.
Julien trouve les citrons, les jonquilles et les pamplemousses.
Véronique trouve les feuilles, les chenilles et les grenouilles.
Blanche trouve la mer et le ciel.
Inès et Valérie trouvent les fleurs, les papillons et les oiseaux.

Nous crions à voix forte. Nous plongeons dans l'atmosphère.
Nous courons à toute vitesse. Nous grimpons du rouge au violet.
Nous dansons comme des fous. Nous volons comme des oiseaux de proie.

C'est drôle, c'est amusant. C'est la liberté!

1. Réponds aux questions en français.

Exemple: Qui trouve les pamplemousses? *Julien trouve les pamplemousses.*

1. Qui trouve la mer et le ciel?
2. Qui se couche sur le jaune?
3. Qui saute sur le bleu?
4. Qui joue sur le violet?
5. Qui a une main sur l'orange?
6. De quelle couleur sont les capucines?
7. De quelle couleur sont les chenilles?
8. De quelle couleur sont les cerises?
9. De quelle couleur sont les jonquilles?
10. Où plongeons-nous?

Qu'est-ce qu'on pose sur une table, qu'on coupe, qu'on sert, mais qu'on ne mange pas ?
Track 32
un jeu de carte!

Nous sommes le ....

1. Traduis en anglais (la révision des verbes et de la forme négative).

pp présent progressif   ps présent simple

1. Tu as faim.
2. Il ne joue pas. pp
3. Elle a froid.
4. Je n'ai pas peur.
5. Nous mangeons. ps
6. Tu ne danses pas. pp
7. J'ai soif.
8. Elles trouvent. ps
9. On n'a pas chaud.
10. Ils écoutent. pp

2. Écris le bon pronom à côté de chaque nom.

1. un papillon
2. des oiseaux
3. le ciel
4. l'eau
5. deux chenilles
6. la grenouille
7. les feuilles
8. un coquelicot
9. des citrons
10. l'arc-en-ciel

3. Traduis en français

1. She hasn't got a dog.
2. They haven't got a sister.
3. There aren't any sweets.
4. He hasn't got any friends.
5. We haven't got a garden.

4. Quelle heure est-il ?

1. 3.45
2. 1.00
3. 5.30
4. 8.15
5. 9.25

5. Traduis en anglais.

1. l'arc-en-ciel
2. le pamplemousse
3. le coquelicot
4. la feuille
5. la lumière
6. chanter
7. toucher
8. sauter
9. crier
10. jouer

le vocabulaire (iii)

Track 33

Nous sommes le ....

1. Que porte un bonhomme de neige comme nez?
2. L'orange est une couleur et aussi
3. Un animal qui aide Papa Noël.
4. le frère de ton père ou de ta mère
5. l'eau congelée
6. Combien de jours y a-t-il dans un week-end?
7. Un petit animal noir qui vit sous la terre.
8. L'auteur du livre 'Le Seigneur des anneaux'.
9. le contraire de l'adjectif 'chaud'
10. On le porte sur la tête.
11. Où habite le président des États-Unis?
12. Est-ce que la terre a la forme d'une boîte ou d'un ballon?
13. la larve du papillon
14. L'eau qui tombe des nuages.
15. une fleur jaune de printemps en forme de trompette
16. Quelle est la dernière couleur de l'arc-en-ciel?
17. Quelle étoile produit la lumière du jour sur la Terre?
18. Qu'est-ce qu'une capucine?
19. De quelle couleur est le pamplemousse?
20. Quel est le symbole (sur fond vert) des premiers secours?

deux	une taupe	une fleur	un ballon	froid
le soleil	un fruit	violet	la pluie	une jonquille
une chenille	un chapeau	un renne	la glace	la maison blanche
une croix blanche	ton oncle	jaune	une carotte	J R Tolkien

Q? **Combien de centimes y a-t-il dans un euro?**

Track 34

Don't forget to punctuate all sentences and questions.

les prépositions

Nous sommes le ....

Vocabulaire

à côté de	next to
en face de	opposite
près de	near
en dehors de	outside
au milieu de	in the middle of
à l'extérieur de	outside
à l'intérieur de	inside

Je ne sais pas.
I don't know.

Grammaire

Don't forget:
de followed by le becomes du.
de followed by la becomes de la.
de followed by les becomes des.

Exemple:

Le lion est en dehors de la cage.
The lion is outside the cage.

La gare est à côté du cinéma.
The station is next to the cinema.

1. Traduis en français.

Exemple: The blue house is next to the school.
La maison bleue est à côté de l'école.

1. The green car is outside the garage.

2. The old church is opposite the baker's.

3. The white house is near the chemist's.

2. Écris neuf adjectifs.

1.	4.	7.
2.	5.	8.
3.	6.	9.

3 . Traduis en anglais.

Où est mon pantalon bleu? Il n'est pas dans la machine à laver.

Est-ce qu'il est dans la commode dans ta chambre? Non, il est sous mon lit.

Track 35

4. Je sais parler français.

Maman: Lucas, tes baskets sont vraiment sales! Elles sont couvertes de boue. Mets-les en dehors de ta chambre. Pourquoi ton pull est-il au milieu de la cuisine avec tes chaussettes?

Lucas: Je ne sais pas. Lucie, pourquoi mes vêtements sont-ils dans la cuisine?

Lucie: Parce qu'ils sont sales.

Maman: Lucas, mets-les dans la machine à laver et Lucie, range tes affaires, s'il te plaît. Il y a plusieurs crayons près de la télévision et des magazines à côté du canapé. Mets les livres à l'intérieur du placard.

A: cent

Q? Le jaune et le bleu donnent quelle couleur?

les passe-temps (i)

Nous sommes le ....

Track 36

trèfle ♣ coeur ♥ carreau ♦ pique ♠

Vocabulaire

adorer	to love
détester	to hate
jouer à	to play (game or sport)
préférer	to prefer
d'habitude	usually
souvent	often
toujours	always
quelquefois	sometimes

Grammaire

*When two verbs come together, you conjugate the first and leave the second as an **infinitive**.*

Exemple:

J'aime **jouer** aux cartes.

I like playing cards./I like to play cards.

Tu préfères **danser**?

Do you prefer dancing? / Do you prefer to dance?

1. Réponds aux questions avec oui ou non.

Exemple: Tu aimes jouer au cricket? (Oui) *Oui, j'aime jouer au cricket.*

1. Aimes-tu jouer au tennis? (Non)
2. Est-ce que tu préfères jouer au foot? (Oui)
3. Tu adores jouer au golf? (Oui)

2. Écris les numéros des réponses dans les bonnes cases.

À vos marques! Prêts! Partez!
On your marks! Get set! Go!

J'aime ✔ J'adore ✔✔ Je n'aime pas ✘ Je déteste ✘✘

- ☐ Tu aimes jouer au golf? ✘✘
- ☐ Est-ce que tu aimes jouer au football? ✔
- ☐ Tu aimes jouer au rugby? ✔✔
- ☐ Est-ce que tu aimes jouer aux cartes? ✘
- ☐ Tu aimes jouer au tennis? ✘✘
- ☐ Tu aimes jouer au cricket? ✔✔
- ☐ Est-ce que tu aimes jouer au cricket? ✘✘
- ☐ Est-ce que tu aimes jouer au tennis? ✘

6 Non, je déteste jouer au tennis.	2 Non, je n'aime pas jouer aux cartes.
1 Non, je déteste jouer au golf.	3 Oui, j'adore jouer au rugby.
4 Oui, j'aime jouer au football.	8 Oui, j'adore jouer au cricket.
7 Non, je n'aime pas jouer au tennis.	5 Non, je déteste jouer au cricket.

Track 37

3. Je sais parler français.

Lena: 'Romain, tu joues aux cartes?

Romain: À quoi on joue?

Lena: Je joue au whist avec Gabriel?

Romain: Génial! J'adore jouer au whist. Est-ce que tu joues souvent?

Lena: Oui, je joue toutes les semaines avec mes copains. Alors, distribue douze cartes à chaque joueur.

Gabriel: Quel est l'atout (trump), carreau, coeur, pique ou trèfle?

Romain: Coeur. C'est à ton tour. Bravo! Lena tu as gagné un pli (trick).

Gabriel: On continue?

Lena: Bien sûr! On continue jusqu'à la fin. (Vingt minutes plus tard)

Gabriel et Romain: Bravo, Lena! Tu as gagné! Tu as sept plis.

A: le vert

Q? Quel mammifère a avalé Jonas ?

jouer du/de la to play (musical instrument)
faire du/de la to do/go (sport and activity)

Track 38

les passe-temps (ii)

Nous sommes le ....

Vocabulaire

aller	to go
doux (douce)	soft
dur	hard
envoyer	to send
faire de la voile	to go sailing
faire du vélo	to go biking
paresseux (paresseuse)	lazy
ravissant	gorgeous

A French tongue twister "La robe rouge de Rosalie est ravissante".

Grammaire

When two verbs come together, you conjugate the first and leave the second as an ***infinitive****.*

Exemple:

J'aime **faire** de la voile. — I like going sailing.

Tu aimes **jouer** du piano? — Do you like playing the piano?

1. Réponds aux questions.

Exemple: Tu aimes envoyer des textos? (Oui) *Oui, j'aime envoyer des textos.*

1. Est-ce que tu aimes faire du ski? (Non) ....
2. Tu préfères jouer du piano ou de la guitare? (le piano) ....
3. Tu préfères faire du vélo ou de la voile? (le vélo) ....

2. Écris les numéros dans les bonnes cases.

J'aime ✔ J'adore ✔✔ Je n'aime pas ✘ Je déteste ✘✘

- ☐ Tu aimes jouer du piano? ✔
- ☐ Est-ce que tu aimes faire du vélo? ✔✔
- ☐ Tu aimes faire de la natation? ✔
- ☐ Est-ce que tu aimes jouer de la guitare? ✘
- ☐ Tu aimes faire du ski? ✔✔
- ☐ Tu aimes jouer du violon? ✘✘
- ☐ Est-ce que tu aimes faire du ski? ✘
- ☐ Est-ce que tu aimes jouer du piano? ✘

6 Oui, j'adore faire du vélo.	7 Oui, j'aime faire de la natation.
1 Non, je n'aime pas jouer de la guitare.	2 Oui, j'aime jouer du piano.
4 Non, je n'aime pas faire du ski.	3 Oui, j'adore faire du ski.
8 Non, je n'aime pas jouer du piano.	5 Non, je déteste jouer du violon.

Track 39

3. Je sais parler français.

Jules: En hiver je joue au rugby. Souvent, il pleut et il fait froid mais j'adore ce sport. Quelquefois il neige et, s'il gèle, on ne joue pas parce que la terre est trop dure.

Au printemps, je joue au hockey le vendredi soir. Le temps est plus doux et la terre est moins dure. Je pense que le hockey est mon sport préféré.

En été je fais de la natation à la piscine municipale. D'habitude je nage à six heures et demie du matin avant d'aller à l'école. Pendant les grandes vacances je vais à la plage et je joue au volleyball avec mes amis puis je nage dans la mer. En automne je joue au tennis.

A: une baleine (whale)

Quel oiseau était l'emblème de Napoléon?

Track 40

In French de and le can never be written together. du (de + le)

the possessive 's'

Nous sommes le ....

Vocabulaire

la calculatrice	calculator
la chambre	bedroom
le garçon/la fille	boy/girl
l'ordinateur portable	laptop
la poche	pocket
le portable	mobile phone
le sac	bag
la trousse	pencil case

Grammaire

In French there is no possessive 's'.

Sophie's cat is written:

le chat de Sophie — the cat of Sophie

the dog's tail is written:

la queue du chien — the tail of the dog

1. Traduis en français.

Exemple: The boy's mobile is in his pocket. *Le portable du garçon est dans sa poche.*

1. The girl's calculator is in her bag.
2. The boy's laptop is in his bedroom.
3. Henri's pencil case is not in the drawer.

2. Traduis en français. *Check your translations and spellings carefully as these sentences are not easy.*

1. My father's blue car.
2. His sister's purple dress.
3. Her brother's little white mouse.

3. Écris en français, l'adjectif opposé pour former une paire d'adjectifs.

Exemple: court *long*

1. nouveau
2. nul
3. jeune
4. noir
5. petit
6. bon
7. heureux
8. ouvert

4. Je sais parler français.

une blague

La maîtresse de Thomas lui demande de conjuguer le verbe chant**er**.

Thomas commence: je chant**e**, tu chant**es**, il chant**e**

La maîtresse lui dit: Très bien! Et si c'était ta sœur qui chantait, tu dirais quoi?

Thomas: ARRÊTE!!

une devinette

Quel est le chiffre que dit une poule quand elle pond un œuf?

Réponse : 7 1 9 (C'est un œuf.)

In French de and les can never be written together. des (de + les)

A: l'aigle (eagle)

For vocabulary see page 56

L'eau existe, naturellement sous trois formes:

La forme solide comme la glace ou la neige dans les montagnes.

La forme liquide comme l'eau de pluie et de rivière.

La forme gazeuse comme les nuages et le brouillard.

L'eau peut se transformer d'un état à l'autre si les conditions extérieures (la température et la densité de l'air) se modifient.

Fais bouillir de l'eau.

Verse l'eau dans un récipient en verre.

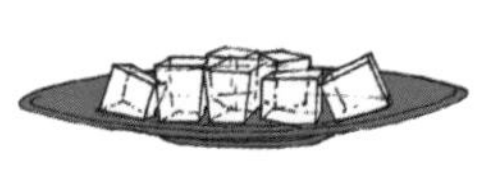

Mets des glaçons dans une assiette.

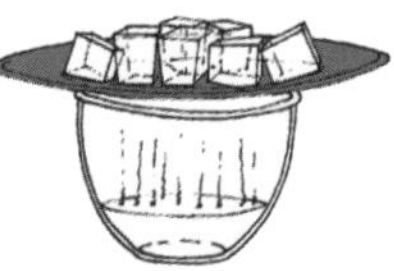

Pose l'assiette sur le récipient.

La vapeur d'eau rencontre l'air refroidi et forme un nuage.

Les feuilles, les fleurs, les arbres et l'herbe produisent de l'eau qui se transforme en vapeur puis en nuage.

Le soleil réchauffe l'eau de la mer et des fleuves et la transforme en vapeur.

Dans le ciel, la vapeur rencontre de l'air froid et se transforme en gouttelettes qui, serrées les unes contre les autres, forment un nuage.

1. Réponds aux questions en français. (Use simple words or phrases.)

1. Nomme deux types de matières formées d'eau à l'état solide.

a. .... b. ....

2. Nomme deux types de matières formées d'eau à l'état gazeux.

a. .... b. ....

3. Nomme trois endroits dans la nature où l'eau est produite. (pas de rivières ou de mer)

a. .... b. .... c. ....

4. Qu'est-ce qui change l'eau de la mer et des rivières en vapeur?

....

5. Qu'est-ce qui change la vapeur en gouttelettes d'eau?

....

6. Quand les gouttelettes d'eau sont serrées les unes contre les autres, que forment-elles?

....

2. Écris 'et' ou 'est' dans les espaces.

Exemple: Le drapeau français ...*est*... bleu, blanc ...*et*... rouge.

1. Mon professeur .... amusant .... drôle.
2. Ma mère .... moi aimons jouer au tennis .... écouter la radio.
3. Aujourd'hui c' .... le 24 mars .... il y a du vent.
4. Qu' .... ce que c' .... ? C' .... une fleur rouge .... jaune

Qu'est-ce qui peut faire le tour du monde en restant dans son coin?

Track 43

un timbre!

Nous sommes le ....

1. Traduis en français.

1. She is opposite the school.
2. It (f) is far from the sea.
3. They (m) are in the middle of the box.
4. It (m) is inside the fridge.
5. We are near the cinema.

2. Mets la forme correcte des verbes et puis traduis-la en anglais.

Exemple: Je (jouer) *Je joue. I play.*

1. Il (aider)
2. Nous (être)
3. On (porter)
4. Elles (avoir)
5. Elle (trouver)
6. Vous (être)
7. Tu (travailler)
8. Ils (chercher)
9. Je (arriver)
10. Il (avoir)

3. Écris 'du', 'de la', 'des' ou 'de l'' dans les espaces.

Exemple: Je voudrais *des* bonbons.

1. Avez-vous .... pain?
2. Est-ce que tu as .... confiture?
3. Vous avez .... pâtes?
4. Elle est en face .... école.
5. Avez-vous .... petits pois?
6. Avez-vous .... miel?
7. Est-ce que tu as .... œufs?
8. Vous avez .... beurre?
9. Elle est près .... gare.
10. Je voudrais .... viande.

4. Traduis en français.

1. Manon's white socks
2. The boy's father
3. The girl's mother
4. The man's green book
5. The woman's purple skirt

5. Traduis en anglais.

1. l'assiette
2. le glaçon
3. la goutte
4. la vapeur
5. le nuage
6. le récipient
7. verser
8. poser
9. chauffer
10. rencontrer

le vocabulaire (iv)

Nous sommes le ....

1. Où achète-t-on du pain?
....
2. Quel sport collectif joue-t-on avec un ballon ovale?
....
3. Un sport de raquette qui oppose deux ou quatre joueurs.
....
4. Combien de cartes y a-t-il dans un jeu de cartes?
....
5. un court message écrit transmis par un portable
....
6. Pour faire de la voile on a besoin d'un...
....
7. un instrument de musique à six cordes
....
8. une machine électronique possédant une grande capacité de mémoire
....
9. Les gouttelettes d'eau serrées les unes contres les autres dans le ciel.
....
10. Où achète-t-on du dentifrice?
....
11. Où habite le roi ou la reine à Londres?
....
12. le contraire de 'heureux'
....
13. C'est quand la fête nationale en France?
....
14. Où, dans la cuisine, est-ce qu'on garde le lait et le beurre?
....
15. une capucine est une sorte de...
....
16. Quelle est la forme féminine de l'adjectif 'beau'?
....
17. Quel oiseau fait 'hou hou'?
....
18. Que signifie 'L' dans les chiffres romains?
....
19. Écris '1er' en français.
....
20. Quel était le surnom de Napoléon?
....

cinquante	**le tennis**	**un nuage**	**un texto**	**le rugby**
Buckingham Palace	**Bonaparte**	**un hibou**	**premier**	**à la pharmacie**
belle	**triste**	**à la boulangerie**	**un ordinateur**	**bateau**
cinquante-deux	**le 14 juillet**	**fleur**	**une guitare**	**dans le frigo**

Quel est le matricule de James Bond?

Il est une heure.
It is one o'clock.
Il est deux heures.
It is two o'clock.

ma journée

Nous sommes le

....

les adverbes

vite	quickly
lentement	slowly
souvent	often
quelquefois	sometimes
doucement	gently
toujours	always
d'habitude	usually

Track 45

NB. Adverbs usually come after the verb. D'habitude usually comes at the beginning of a sentence.

les verbes pronominaux

Je **me** lève.	I get up.
Tu **te** laves.	You get washed.
Il/Elle **se** réveille.	He/She wakes up.
On **se** réveille.	One/you/we wake up.
Nous **nous** lavons les mains.	We wash our hands.
Vous **vous** brossez les dents.	You brush your teeth.
Ils/Elles **se** couchent.	They go to bed.

1. Traduis les phrases en français.

Exemple: I usually wake up at five o'clock.
D'habitude je me reveille à cinq heures.

1. I always get up at half past six.
....

2. I quickly wash my hands at quarter to seven.
....

3. I often go to bed at ten o'clock.
....

2. Réponds aux questions. (Answer by writing the time in full – see page 30)

1 À quelle heure tu te réveilles le matin? (6.55)
....

2. À quelle heure tu te couches le soir? (9.45)
....

3. Tu te lèves à quelle heure? (7.40)
....

3. Complète les phrases.

Exemple: Tu *te* lèv*es.*

1. Je .... réveill.......
2. Elles .... couch.......
3. Tu .... bross....... les dents.
4. Nous .... lev.......
5. Vous .... lav....... les mains.
6. Il .... lav....... les cheveux.

Track 46

4. Je sais parler français.

les idiomes

Je suis aux anges. *I'm over the moon.*
J'ai mal au cœur. *I feel sick.*
Je ne suis pas dans mon assiette. *I don't feel well.*
J'ai une faim de loup. *I could eat a horse.*
À vos souhaits! *Bless you! (after sneezing)*
J'ai un chat dans la gorge. *I have a frog in my throat.*
Quand les poules auront des dents! *Pigs may fly!*
Faire la grasse matinée. *To have a lie in.*

Q? Combien y a-t-il de joueurs dans une équipe de football?

Quelle heure est-il?

Nous sommes le ....

Vocabulaire

Track 47

du matin	in the morning (a.m.)
du soir	in the evening (p.m.)
de l'après-midi	in the afternoon
et quart	quarter past
moins le quart	quarter to
et demie	half past
presque	nearly
environ	about/roughly

midi/minuit
et demi (no 'e') half past twelve
une heure (no 's') one o'clock

Quelle heure est-il?	What time is it?
À quelle heure	At what time
Il est ......heures.	It is ....o'clock.

heure(s) — 12
cinq — 1
dix — 2
et quart — 3
vingt — 4
vingt-cinq — 5
et demi(e) — 6
moins vingt-cinq — 7
moins vingt — 8
moins le quart — 9
moins dix — 10
moins cinq — 11

1. Quelle heure est-il?

Exemple: It is five twenty five. *Il est cinq heures vingt-cinq.*

1. It's quarter past nine. ....
2. It is ten to four. ....
3. It is twenty to twelve (midday) ....
4. It's half past one. ....

2. Ajoute la bonne terminaison pour chaque verbe. Traduis les phrases.

Exemple: Vous ador*ez* la lecture. *You love reading.*

1. Ils ne jou .... pas souvent au tennis. ....
2. Tu mang .... une pomme. ....
3. Elle donn .... des fleurs à sa mère. ....
4. Nous cherch .... ta calculatrice. ....

3. Répond aux questions avec une phrase complète.

1. Est-ce que tu as faim? (Oui) ....
2. A-t-il peur? (Non) ....
3. Vous avez soif? (Oui) ....

Track 48

4. Deux comptines

These playground chants are used by children when choosing someone to be 'it'.

Une oie, deux oies
trois oies, quatre oies
cinq oies, six oies
sept oies (c'est toi!)

Am, stram, gram
Pic et pic et colégram
Bour et bour et ratatam
Am, stram, gram, pic, dam

A: onze

Q? **Quelle est la date de la bataille de Waterloo?**

Track 49

le pluriel

Nous sommes le ....

Vocabulaire

ennuyeux (ennuyeuse)	boring
courageux (courageuse)	brave
dangereux (dangereuse)	dangerous
généreux (généreuse)	generous
heureux (heureuse)	happy
paresseux (paresseuse)	lazy
délicieux (délicieuse)	delicious
gazeux (gazeuse)	fizzy

Grammaire

When writing sentences in the plural you need to check the following.

1. The verb has the correct ending.
2. The plural 's' or 'x' is added to the noun.
3. All adjectives agree with the noun.
4. The verb 'être' and 'avoir' are written correctly.

Exemple: La petite fille est heureuse.
Le**s** petite**s** fille**s** **sont** heureuse**s**.

1. Réécris les phrases au pluriel.

Exemple: L'élève est paresseux. *Les élèves sont paresseux.*

1. Le croissant chaud est délicieux.
2. Le soldat français est très courageux.
3. J'aime la limonade gazeuse.
4. Il trouve la leçon un peu ennuyeuse.
5. Un animal sauvage est dangereux.

2. Traduis en anglais.

1. Il trouve.
2. Tu aimes.
3. Elle déteste.
4. Je joue.
5. Je suis.
6. Il est.
7. Tu as.
8. Elle a.
9. J'ai.
10. Ils cachent.
11. Nous aidons.
12. Tu triches.

3. Traduis en français. (Take care, these translations are not easy.)

1. I haven't got any money.
2. He hasn't any sisters.
3. They don't have a mobile.

Track 50

4. Je sais parler français.

Je suis très heureuse parce que ma grand-mère m'a offert un beau cadeau pour mon anniversaire. Elle est très généreuse. Nous mangeons un gâteau qui est délicieux. Il y a beaucoup d'orangeade et d'eau gazeuse. Mon frère est paresseux, il reste au lit dans sa chambre et joue avec sa console de jeux. Quelle vie ennuyeuse! Ma petite sœur craque une allumette pour allumer les bougies mais malheureusement elle se brûle le doigt. Les allumettes sont dangereuses. Elle ne pleure pas, elle est courageuse.

craquer une allumette – to strike a match
allumer une bougie – to light a candle

A: 1815

le verbe 'faire'

Q? **Quel animal rusé ressemble à un chien?**

Nous sommes le ....

chez moi
at home (my)
chez toi
at home (your)

Track 51

faire

Je fais	I make/do
Tu fais	You make/do (family, friends)
Il fait	He makes/does
Elle fait	She makes/does
On fait	One (you, we) makes/does
Nous faisons	We make/do
Vous faites	You make/do (plural, formal)
Ils font	They make/do (m/m&f)
Elles font	They make/do (fpl)

Vocabulaire supplémentaire

faire les courses	to go shopping
faire la cuisine	to do the cooking
faire ses devoirs	to do one's homework
faire la lessive	to do the washing
faire son lit	to make one's bed
faire le ménage	to do the housework
faire une promenade	to go for a walk
faire la vaisselle	to do the washing up

1. Traduis en français.

Exemple: My brother does the washing up on Fridays.
Mon frére fait la vaisselle le vendredi.

1. My mother does the shopping on Saturdays.

....

2. His father does the cooking on Wednesdays.

....

3. Her sister does the housework on Mondays.

....

2. Écris le verbe 'faire' dans les blancs.

1. _ _ _ _   _ _ _ _ _ _
2. _ _ _ _   _ _ _ _ _ _ _ _
3. _ _   _ _ _ _ _
4. _ _ _ _ _   _ _ _ _ _
5. _ _ _   _ _ _ _ _
6. _ _   _ _ _ _ _ _
7. _ _   _ _ _ _
8. _ _   _ _ _ _ _
9. _ _ _ _   _ _ _ _ _

3. Complète avec la forme correcte du verbe 'faire' sur les pointillés.

1. Aujourd'hui nous .... la lessive.
2. Il .... les courses avec sa mère.
3. Elles .... le ménage le vendredi.
4. On .... la cuisine le dimanche.
5. Vous .... les devoirs à l'école.
6. Je .... mon lit tous les jours.
7. Ça .... deux euros
8. .... attention!

Track 52

4. Un sondage (a poll)

Qui fait la vaisselle chez toi?
Mon père fait la vaisselle chez moi.

À quelle heure tu fais tes devoirs le soir?
Je fais mes devoirs à sept heures et quart.

Est-ce que tu aimes faire ton lit?
Non, je n'aime pas faire mon lit.

Est-ce que ta mère fait les courses?
Oui, ma mère fait les courses.

Qui fait le ménage chez vous?
Toute la famille fait le ménage chez nous.

Que fais-tu le week-end?
Je fais une promenade avec mes amis.

Qui aime faire la cuisine chez vous?
Tout le monde aime faire la cuisine chez nous.

Est-ce que ta sœur aime faire les courses?
Oui, elle adore faire les courses.

A: un renard

Une histoire musicale par Sergei Prokofiev

C'est l'histoire d'un petit garçon qui s'appelle Pierre et qui passe ses vacances chez son grand-père. Autour de la maison, il y a un jardin rempli de fleurs, de fruits et d'oiseaux.
Un jour, il ouvre la porte du jardin et va (goes) dans la grande prairie. Sur la branche d'un arbre chante son ami, le petit oiseau. "Tout est calme" chante-t-il gaiement.
Un canard plonge dans la mare au milieu de la prairie.
Le petit oiseau se pose à côté du canard. "Quel genre d'oiseau es-tu, si tu ne sais pas (don't know how) voler?" dit-il.
Le canard répond, "et quel genre d'oiseau es-tu si tu ne sais pas nager?"
Soudain, Pierre voit (sees) un chat qui s'avance tout doucement.
"Attention!" crie Pierre. L'oiseau s'envole dans un arbre et le canard plonge dans la mare. Soudain un loup sort de la forêt et mange le canard. Le chat grimpe à un arbre. Pierre chuchote à l'oiseau, "va voler autour de la tête du loup." Pierre fait un nœud coulant à la corde. Il glisse la boucle autour de la queue du loup, puis il tire de toutes ses forces. Les chasseurs arrivent avec leur fusil. "Ne tirez pas!" crie Pierre. "Le petit oiseau et moi avons attrapé le loup."
Ils mènent le loup au zoo et le canard cancane dans le ventre du loup.

1. Réponds aux questions en français.

Exemple: Chez qui Pierre passe ses vacances? *Il passe ses vacances chez son grand-père.*

1. Que chante le petit oiseau?
2. Dans quoi plonge le canard?
3. Qui s'avance tout doucement?
4. Que fait l'oiseau?
5. Que chuchote Pierre à l'oiseau?
6. Qui arrivent avec leur fusil?
7. Que crie Pierre?
8. Où mènent-ils le loup?

2. Traduis les phrases en français.

Exemple: The hunters catch the wolf. *Les chasseurs attrapent le loup.*

1. The duck is swimming in the pond.
2. The hunters have a gun.
3. The bird flies round the wolf.
4. The cat is climbing a tree.
5. The boy whispers to his grandfather.
6. Peter opens the garden gate.

Qu'est-ce qui commence par e, qui finit par e et qui contient une lettre?

une enveloppe!

Track 54

Nous sommes le ....

1. Traduis en français.

1. It is twenty to eleven.
2. It is twenty five past five.
3. It is half past twelve (mid-day).
4. It is five past three.
5. It is twenty five to eight.

2. Mets la forme correcte des verbes et puis traduis-la en anglais.

Exemple: Je (faire) *Je fais. I do/make.*

1. Il (avoir)
2. Nous (faire)
3. On (être)
4. Elles (faire)
5. Elle (avoir)
6. Vous (faire)
7. Tu (être)
8. Ils (faire)
9. Je (avoir)
10. Elle (faire)

3. Réécris les phrases au pluriel.

Exemple: Il y a du soleil et je suis heureux. *Il y a du soleil et nous sommes heureux.*

1. Mon frère est très courageux.
2. Elle mange une glace délicieuse.
3. Tu es paresseux dans le jardin.
4. Il n'aime pas nager dans la rivière.
5. Il a peur de la rue dangereuse.

4. Écris le pluriel des mots et traduis-les en anglais.

Exemple: blanc *blancs white*

1. courageux
2. marron
3. la fille
4. le château
5. un bois
6. le mouton
7. l'animal
8. un cadeau

5. Traduis en anglais.

1. le chasseur
2. le loup
3. le canard
4. les vacances
5. le ventre
6. attraper
7. plonger
8. passer
9. chuchoter
10. glisser

le vocabulaire (v)

Track 55

Nous sommes le

....

1. Combien de jours y a-t-il au mois d'avril?

....

2. Combien de voyelles y a-t-il dans l'alphabet français?

....

3. Quel est le pluriel du mot 'le cheval'?

....

4. Quel est le septième mois de l'année?

....

5. le contraire du mot 'bon'

....

6. Qu'est-ce qu'on trouve dans une mare?

....

7. Pour voler, un oiseau a besoin d'

....

8. Quel animal dit 'cui! cui!'?

....

9. Combien de minutes y a-t-il dans un quart d'heure?

....

10. Où achète-t-on de la viande?

....

11. Complète la comptine. Am stram gram, pic et pic et

....

12. un combat entre deux armées

....

13. une pâtisserie en forme de lune

....

14. On la craque pour allumer une bougie.

....

15. une chanson enfantine

....

16. Un animal sauvage qui ressemble à un grand chien.

....

17. Quel nom de garçon signifie aussie une roche?

....

18. Quel animal dit 'coin! coin!'?

....

19. Une personne qui pratique la chasse.

....

20. Quelle heure est-il à midi?

....

quinze	**juillet**	**Il est douze heures.**	**de l'eau**	**un oiseau**
une comptine	**colégram**	**trente**	**les chevaux**	**un croissant**
six	**un loup**	**un canard**	**une allumette**	**ailes**
à la boucherie	**mauvais**	**une bataille**	**un chasseur**	**Pierre**

Q? **Quelle saison commence le 21 mars?**

Nous sommes le

....

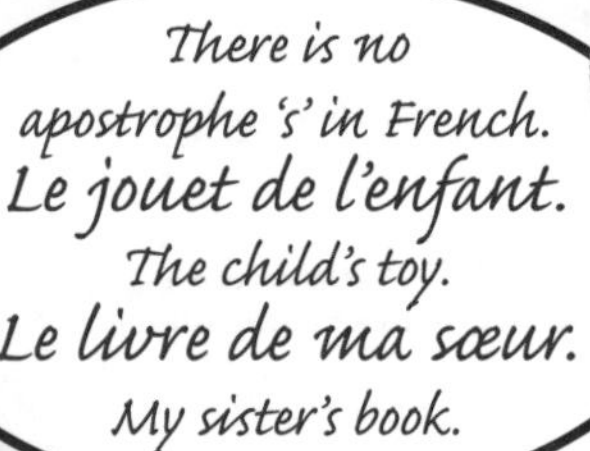

There is no
apostrophe 's' in French.
Le jouet de l'enfant.
The child's toy.
Le livre de ma sœur.
My sister's book.

les adjectifs

Most adjectives come after the noun in French but these common adjectives come before the noun.

beau (belle)	lovely	nouveau (nouvelle)	new
bon (bonne)	good	mauvais (mauvaise)	bad
grand (grande)	big/tall	méchant (méchante)	nasty
gros (grosse)	large/fat	pauvre (pauvre)	poor
haut (haute)	high	petit (petite)	little/small
jeune (jeune)	young	vieux (vieille)	old
joli (jolie)	pretty	vilain (vilaine)	naughty/ugly

1. Traduis les phrases en français.

Exemple: The girl's beautiful dress. *La belle robe de la fille.*

1. The boy's old dog.
2. My sister's small sock.
3. Your father's good meal.
4. My friend's short skirt.
5. Your teacher's new car.

Track 57

2. Réponds aux questions en français.

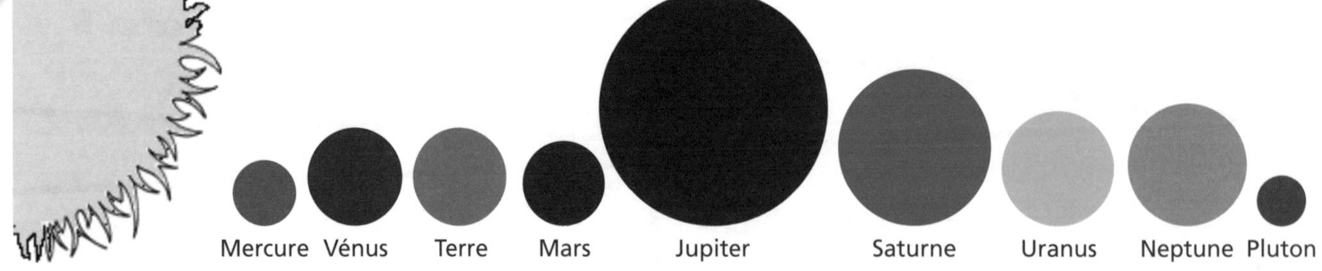

1. Quelle planète paraît rouge?
2. Quelle est la plus petite des planètes?
3. Quel est le troisième mois de l'année?
4. Quelle planète est la plus proche du soleil?
5. Quelle est la plus grande des planètes?
6. Quelle planète est habitée par l'espèce humaine?
7. Quelle planète possède un système d'anneaux?

A: le printemps

Q? Combien d'anneaux forment le drapeau olympique?

Track 58

quel et tout

Nous sommes le ....

quel/quelle/quels/quelles

Quelle surprise!	What a surprise!
Quel dommage!	What a pity!
Quel bruit!	What a noise!
Quelle barbe!	What a bore!
Quelle horreur!	How horrible!
Quel désordre!	What a mess!

tout/toute/tous/toutes

Can be translated as 'all', 'the whole' and 'every'.

tout le monde	everyone
tout de suite	straight away
tout le temps	always
tous les jours	every day
tout à coup	suddenly
tout**e** la semaine	the whole week

1. Trouve et souligne les noms et réponds aux questions en français.

Exemple: Quel âge as-tu? (11) *J'ai onze ans.*

1. Quelle heure est-il? (3.30) ....
2. Quel temps fait-il? (soleil) ....
3. De quelle couleur sont les fraises? (rouge) ....
4. Quel est ton animal préféré? (le cheval) ....
5. Quelle est ta matière préférée? (l'histoire) ....

2. Traduis en français.

Exemple: all the films *tous les films*

1. the whole week ....
2. the whole cake ....
3. the whole world ....
4. all the boys ....
5. straight away ....
6. all the girls ....

3. Complète les verbes et traduis-les au présent simple.

Exemple: Il commenc *e* *He begins*

1. Ils étudi.......... ....
2. J'arriv.......... ....
3. Elle port.......... ....
4. Nous travaill.......... ....
5. Vous préfér.......... ....
6. On jou.......... ....

4. Je sais parler français.

Tout le monde parle à haute voix dans la salle de classe. Le professeur entre dans la salle et crie, "Quel bruit! Calmez-vous et asseyez-vous tout de suite!" Tout le monde s'assied et se calme. Le professeur continue avec sa leçon de maths. Tout à coup la sonnerie annonce la fin du cours. Il est onze heures moins le quart. J'aime les maths avec M. Bernard et maintenant j'ai histoire avec Mme. Martin. Quelle barbe! Elle est sévère et mauvais professeur. Elle se fâche tout le temps et elle n'est pas contente. On préfère rester avec M. Bernard ou jouer dans la cour de récréation. Quel dommage!

la sonnerie de fin de cours
the end of lesson bell

A: cinq (printed upside down)

Q? **Quel est le nom populaire du tennis de table?**

Nous sommes le ....

Track 60

les adverbes

bien	well
d'habitude	usually
déjà	already
lentement	slowly
maintenant	now
quelquefois	sometimes
souvent	often
toujours	always

le dernier — *the last*
le premier — *the first*

Grammaire

Adverbs usually come after the verb.

Il mange bien.	He eats well.
Je fais souvent mon lit.	I often make my bed.
Je vais maintenant au lit.	Now I am going to bed.
On mange quelquefois les escargots.	Sometimes we eat snails.

1. Traduis en français. (See page 33)

Exemple: Pierre rarely goes into the meadow. *Pierre va rarement dans la prairie.*

1. He always spends the holidays with his grandfather.
....
2. The duck often dives into the pond.
....
3. The cat is already climbing up the tree.
....
4. The duck is now in the wolf's stomach.
....

2. Réponds aux questions.

Exemple: Chez toi, qui se couche le dernier? (la sœur) *Ma sœur se couche la dernière.*

1. Chez toi, qui se lève le premier? (le père)
....
2. Chez toi, qui se couche le premier? (le frère)
....
3. Chez toi, qui se réveille le dernier? (la mère)
....

3. Écris la lettre sous le pictogramme qui correspond aux descriptions.

A Défense de fumer	B Téléphone pour le sauvetage	C Eau non potable	D Sortie de secours	E Interdit aux piétons	F Flamme nue interdite	G Premiers secours
				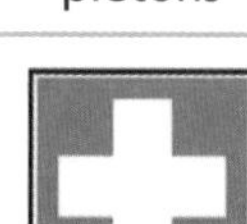		

Track 61

4. Je sais parler français.

Je me réveille à six heures et demie. Il fait déjà jour et je décide de faire la grasse matinée! C'est le week-end et je n'ai pas école. D'habitude je me lève à sept heures mais aujourd'hui je reste au lit. J'écoute mon iPod et je ferme les yeux. Je suis très décontractée. Quelle joie!

décontracté(e) — *laid back*

A: le ping-pong

Q? **Quel type d'animal est une 'veuve noire'?**

le verbe 'aller'

Nous sommes le

....

aller

Je vais	I go
Tu vas	You go
Il va	He/it goes
Elle va	She/it goes
On va	One/we/you (in general) goes/go
Nous allons	We go
Vous allez	You go (plural/formal)
Ils vont	They go (m/m&f)
Elles vont	They go (f)

Grammaire

The verb 'aller' is important as it can be used with another verb to make the future tense.

Exemple: Je vais travailler dans ma chambre.

I am going to work in my bedroom.

Exemple: Je vais faire mes devoirs.

I am going to do my homework.

aller (l'infinitif)	to go (infinitive)
faire (l'infinitif)	to do/make (infinitive)
travailler (l'infinitif)	to work (infinitive)

1. Traduis en français.

Exemple: At six twenty, he is going to the cinema. *À six heures vingt, il va au cinéma.*

1. At quarter past three, he is going home.

....

2. At half past four, she is going to the baker's.

....

3. At twenty to eight, I go to school.

....

2. Écris le verbe 'aller' dans les blancs.

1. _ _ _ _ _ _ _ _ _ _ 4. _ _ _ _ _ _ _ _ _ _ _ 7. _ _ _ _ _

2. _ _ _ _ 5. _ _ _ _ 8. _ _ _ _ _ _ _

3. _ _ _ _ _ _ _ _ _ _ 6. _ _ _ _ _ _ _ _ 9. _ _ _ _ _ _

3. Complète avec la forme correcte du verbe 'aller'.

1. Je .... à l'école
2. Il .... au cinéma.
3. Elles .... à la pharmacie.
4. On .... à la boulangerie.
5. Vous .... à l'hôpital
6. Tu .... à la gare.

Track 63

4. Je sais parler français.

C'est Noël. Nous allons acheter des cadeaux pour toute la famille.
C'est Pâques. On va cacher des œufs dans le jardin pour les enfants.
C'est le premier avril. Il va attacher un poisson sur le dos de sa petite sœur.
C'est le 15 août, un jour férié en France. Elle va aller à la messe.
C'est le premier janvier. Tu vas fêter le jour de l'an avec tes amis.
C'est le 14 février. Elle va donner une carte de la Saint-Valentin à son copain.
C'est le 14 juillet, la fête nationale en France. Je vais regarder les feux d'artifice.

Attention aux accents! Noël, Pâques, août, février

A: une araignée

For vocabulary see page 56

Track 64

un drôle de voleur!

Un voleur entre dans la maison.
Sur la table, dans la cuisine, il trouve une baguette et du beurre.
Dans le placard, il trouve une tarte aux pommes.
Dans le frigo, il trouve du fromage.
Sur l'étagère, il trouve un paquet de bonbons.
Dans une vieille tasse cassée, il trouve des clés.

Le voleur a faim.
Il mange la baguette avec du beurre.
Il mange toute la tarte aux pommes, mais il ne mange pas le fromage.
Il mange un des bonbons qui se trouve sur l'étagère.
Il laisse les clés dans la vieille tasse.

Le voleur a soif.
Il boit un verre d'eau du robinet.

Le voleur est bizarre.
Il met un bouquet de fleurs dans un vase.
Il place le vase sur la table et il quitte la maison.

Quel drôle de voleur!

1. Réponds aux questions en français. Begin each answer with a pronoun.

Exemple: Dans quel bâtiment entre le voleur? *Il entre dans la maison.*

1. Où se trouve le fromage?
2. Qu'est-ce qu'il y a dans le placard?
3. Est-ce que le voleur a faim?
4. Qu'est-ce qu'il mange? (deux choses)
5. Où se trouvent les clés?
6. Mange-t-il le fromage?
7. Combien de bonbons mange-t-il?
8. Où laisse-t-il les clés?
9. Est-ce que le voleur a soif?
10. Qu'est-ce qu'il boit?
11. Qu'est-ce qu'il met dans un vase?
12. Où place-t-il le vase?

Que dit le poisson au téléphone?
Track 65
à l'eau (allô!)

Nous sommes le

....

1. Mets la forme correcte du verbe 'aller' et complète la phrase avec à la, au ou à l'.

Exemple: Il ....*va*.......... ....*à la*........ boulangerie.

1. Ils .... pharmacie.
2. Tu .... cinéma.
3. On .... école.
4. Vous .... gare.
5. Je .... parc.
6. Elle .... magasin.

2. Écris quel, quelle, tout, toute, tous ou toutes dans les espaces.

1. .... surprise!
2. .... dommage!
3. .... bruit!
4. .... barbe!
5. .... horreur!
6. .... heure est-il?
7. .... la semaine
8. .... les filles
9. .... les jours
10. .... à coup
11. .... le monde
12. .... de suite

3. Souligne 'l'infinitif' puis traduis en anglais.

1. Il va arriver à sept heures et quart.
2. Vous allez jouer au tennis.
3. Elles vont acheter des bonbons.
4. Tu vas donner le portable à Paul.
5. Nous allons laver la voiture.

4. Traduis en anglais.

1. Défense de fumer
2. Sortie de secours
3. Eau non potable
4. Interdit aux piétons
5. Premiers secours
6. Flamme nue interdite

5. Traduis en anglais.

1. le voleur
2. la clé
3. l'étagère
4. le placard
5. le robinet
6. quitter
7. laisser
8. placer
9. trouver
10. entrer dans

le vocabulaire (vi)

Track 66

Nous sommes le

....

1. la planète habitée par l'espèce humaine

....

2. un vêtement porté par les filles

....

3. C'est une planète, un mois et une barre de chocolat.

....

4. une suite de sept jours

....

5. un véhicule de transport à quatre roues

....

6. Un fruit rouge et délicieux qu'on mange avec de la crème.

....

7. La langue qu'on parle en France.

....

8. le père de ton père

....

9. le symbole d'une croix blanche sur fond vert

....

10. une fête chrétienne au printemps

....

11. Le 14 février est le jour de quel saint?

....

12. un pain long et mince

....

13. Le premier avril on accroche .... dans le dos d'un ami.

14. En quel mois célèbre-t-on la naissance de Jésus?

....

15. le nom familier d'un réfrigérateur

....

16. un récipient pour les fleurs

....

17. un objet métallique pour ouvrir les portes

....

18. le contraire de 'jeune'

....

19. un petit quelque chose délicieux et très sucré

....

20. Où on prépare les repas.

....

la Saint-Valentin	en décembre	un poisson	une fraise	les premiers secours
vieux	un vase	la terre	le français	une semaine
un bonbon	la cuisine	une clé	Pâques	une jupe
une voiture	une baguette	ton grand-père	Mars	le frigo

Q? **Comment s'appelle la fille du roi?**

Track 67

Nous sommes le ....

Vocabulaire

l'immeuble (m)	block of flats/office block
le musée	museum
le parking	car park
la patinoire	ice rink
le stade	stadium
le syndicat d'initiative	tourist information office
la ville	town
loin	far

s'égarer to get lost
encore une fois once more

Vocabulaire supplémentaire

la première à droite	the first (turning) on the right
la deuxième à gauche	the second (turning) on the left
Excusez-moi, où est...?	Excuse me, where is ...?
prenez	take
continuez	continue
tout droit	straight on

1. Traduis les réponses en anglais.

Exemple: Excusez-moi, où est le musée?
Prenez la deuxième à gauche et continuez tout droit.
Take the second turning on the left and continue straight on.

1. Où est le port?
Prenez la première à droite puis la troisième à gauche. Ce n'est pas loin.
....
....

2. Est-ce qu'il y a une poste près d'ici?
Oui, elle est en face du cinéma, à côté du supermarché.
....
....

3. Est-ce qu'il y a un syndicat d'initiative près d'ici?
Oui, prenez la deuxième à gauche et allez tout droit. C'est en face de l'école.
....
....

2. Complète les phrases et traduis-les en anglais.

Exemple: Le cinéma est à côté *de l'* école. *The cinema is next to the school.*

1. Le stade est près .... parking. ....
2. L'immeuble est en face .... musée. ....
3. La pharmacie est loin .... gare. ....

3. Je sais parler français.

Nous allons chez Martin pour sa fête. On a l'invitation et on a l'adresse mais on s'égare dans le centre-ville. Papa demande à un passant: "Excusez-moi, où est la rue de Tivoli?"

Le passant est gentil et répond: "Prenez la deuxième à gauche puis la première à droite, en face de l'église Sainte Cécile. Continuez tout droit. La rue de Tivoli est la quatrième à gauche, à côté d'une boulangerie-pâtisserie."

On continue et après cinq minutes on arrive dans la rue de Tivoli. Martin habite au numéro quarante-cinq. Hourra ! La fête commence.

droit(e) right
à droite on the right
gauche left
à gauche on the left

A: la princesse

Comment s'appelle la petite amie de Roméo?

l'Angleterre England
l'Écosse Scotland
le pays de Galles Wales
l'Irlande Ireland

les vacances

Nous sommes le ....

Track 69

Vocabulaire

le cheval (les chevaux)	horse
le phare	lighthouse
les vacances (f)	holidays
cher/chère	dear
en	in (for the month)
génial!	great! brilliant!
pendant	during
toujours	always
Je lis	I read/I am reading

Grammaire

Usually you start a letter with Cher (m) or Chère (f)

Exemple: Cher Martin / Chère Rachel

Here are some examples of how to end a letter.

Je t'embrasse	with much love from (hugs and kisses)
Amicalement	kinds regards (quite formal)
Amitiés	with love from (friendship)
Gros bisous	with love (hugs) and kisses
À bientôt	See you soon

1. Traduis en français.

Exemple: We are going to the seaside in August. *Nous allons au bord de la mer en août.*

1. He is going to the mountains in February.

2. I am not going to the countryside in April.

3. He is going to France in March.

4. They are not going to Scotland in July.

2. Traduis les jours fériés en anglais et écris les dates (si possible).

Exemple: Noël — Christmas — *Le vingt-cinq décembre*

1. Pâques
2. le jour de l'an
3. la fête nationale en France
4. la fête du premier mai
5. la Toussaint
6. le jour de l'Armistice

Track 70

3. Je sais parler français.

Angers, le 18 juillet

Chère Marie,

Je suis en vacances près d'Angers. Il fait beau et chaud. Les châteaux de la Loire sont magnifiques. Aujourd'hui je lis au bord de la mer. C'est génial! Cet après-midi on va visiter un phare. Demain je vais faire de la voile avec mon frère sur le lac. Ma sœur va faire de l'équitation. Elle adore les chevaux. Mes parents vont visiter les sites historiques. Quelle horreur!! Je trouve l'histoire un peu ennuyeuse. Je préfère faire du sport. Tous les jours, je fais du vélo et je joue au ping-pong. Je nage dans la piscine et j'ai toujours faim!!

Gros bisous

Cécile XXXXX

au bord de la mer
by the sea
à la campagne
in/to the country(side)
à la montagne
in/to the mountains

A: Juliette

Qui a écrit le 'Bossu de Notre-Dame'?

C'est tout?
Is that all?
Et avec ça?
Anything else?

Track 71

C'est combien?

Nous sommes le ....

Vocabulaire

l'argent (m)	money
le chariot	trolley (shopping)
la monnaie	change (money)
le panier	basket
le porte-monnaie	purse
plein (pleine)	full
le sac à provisions	shopping bag

l'euro

Euros come in notes (le billet) and coins (la pièce). Each euro is made up of 100 cents (un centime). In French the symbol € comes after the amount and there is a comma separating the euro from the cents.

Exemple:

32,50€	€32.50
cher/chère	expensive/dear
bon marché	cheap

1. Traduis en français.

Exemple: Hi! Have you got a packet of cereal and a pot of honey?

Salut! Avez-vous un paquet de céréales et un pot de miel?

1. What a bore! My purse is empty and I haven't any money.

2. I have lots of coins but I don't have any notes.

3. I'd like a kilo of apples please. Is that all? Yes, that's all.

4. I'd like a jar of honey please. Anything else?

5. How awful! There isn't any milk in the fridge.

2. Écris ces sommes sous forme de prix. (the french way)

Exemple: cinquante euros quinze *50,15€*

1. quatre-vingt-deux euros seize
2. quinze euros trente-huit
3. soixante-neuf euros treize
4. trente-sept euros quarante-deux
5. quatre-vingts euros cinq
6. dix-huit euros quatorze
7. vingt-neuf euros soixante-trois
8. cent euros quatre-vingt-dix

3. Je sais parler français.

Nathalie et son amie Emma vont faire les courses dans le centre-ville. Elles ont deux sacs à provisions et un sac plein de bouteilles pour le recyclage. Elles entrent dans le supermarché. Nathalie met (puts) un paquet de riz, un kilo de pommes, six oignons, du lait, du pain et du beurre dans son chariot. Emma met un paquet de céréales, du fromage, des pâtes, de la glace, une bouteille d'eau minérale et un paquet de biscuits dans son panier.
À la caisse la caissière demande: "et avec ça?"
Emma répond : "C'est tout. Ça fait combien?"
La caissière répond : "Ça fait trente-cinq euros quinze."

le sac à provisions
shopping bag
le bac à recyclage
recycling bin

R: Victor Hugo

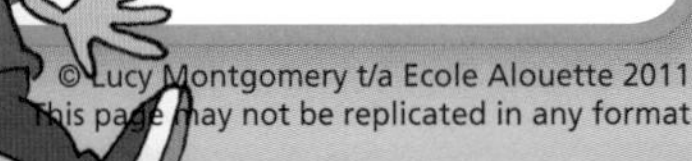

Q? **Un chat 'Manx' n'a pas de ....**

avoir raison
to be right
avoir de la fièvre
to have a temperature

Track 73

le corps

Nous sommes le ....

Vocabulaire

la joue	cheek
la dent	tooth
le doigt	finger
le dos	back
la gorge	throat
la jambe	leg
la tête	head
le ventre	stomach/tummy

Grammaire

Expressing that you have hurt yourself needs to be learned by heart.

Je me suis blessé(e) à	I have hurt my ...
Je me suis blessé(e) au dos.	I have hurt my back.
Je me suis blessé(e) à la jambe.	I have hurt my leg.

Expressing that you are sore or ache somewhere use the verb avoir + mal à.

J'ai mal à la tête.	I have a headache.
J'ai mal à la gorge.	I have a sore throat.
NB J'ai mal aux dents.	I have toothache.

1. Réponds aux questions en français.

Exemple: Qu'est-ce qu'il y a? (I've got a headache.) *J'ai mal à la tête*

1. Qu'est-ce qu'il y a? (I've got a sore throat.)
2. Qu'est-ce qu'il y a? (I've got toothache.)
3. Qu'est-ce qu'il y a? (I've got earache.)
4. Qu'est-ce qu'il y a? (I've hurt my finger.)
5. Qu'est-ce qu'il y a? (I've hurt my back.)

2. Écris les numéros de téléphone en français.
(Telephone numbers in French are always given in pairs.)

Exemple: 02 58 74 53 91

Zéro deux • cinquante-huit • soixante-quatorze • cinqante-trois • quatre-vingt-onze

1. 03 97 80 32 49
2. 05 21 70 92 51

Track 74

3. Je sais parler français.

Gabriel n'est pas dans son assiette! Il a mal à la gorge et il a de la fièvre. Il va à l'école avec ses copains mais il n'est pas content. Pendant la récréation il reste dans la salle de classe. Quand il rentre à la maison il va tout de suite au lit.

À six heures moins le quart, sa mère entre dans sa chambre. "Qu'est-ce qu'il y a, Gabriel?"

Gabriel répond: "Je suis malade, maman."

La mère de Gabriel touche sa joue. "Tu as raison, Gabriel. Tu as de la fièvre. Reste au lit et bois (drink) beaucoup d'eau."

Elle va dans la cuisine et cherche un verre pour l'eau. Elle donne le verre à Gabriel et ferme les rideaux. La chambre est sombre.

"Reste tranquille, Gabriel. Dors bien."

Qu'est-ce qu'il y a? *What's the matter?*
Je suis malade. *I am ill.*
Dors bien. *Sleep well.*

A: queue

Les dents sont en ivoire et la couronne est recouverte d'émail.

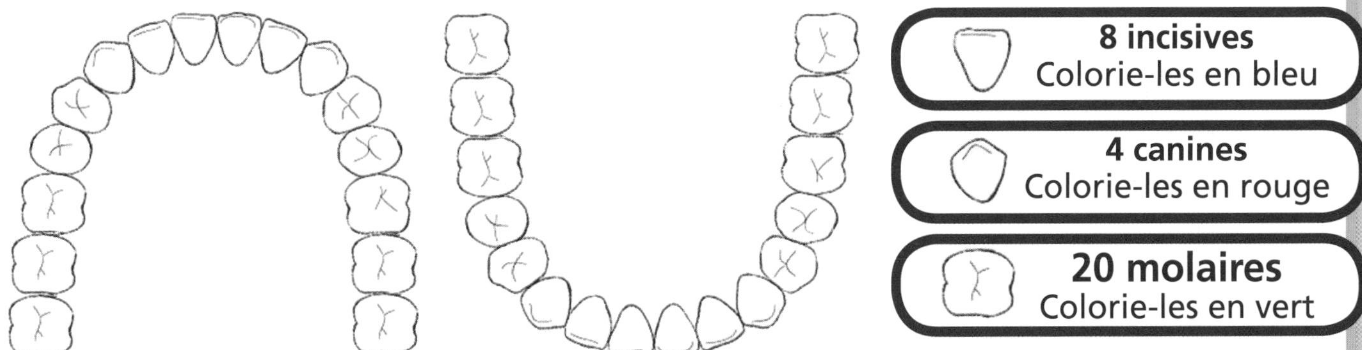

1. Lis le texte à haute voix.

- Brosse-toi les dents, si possible, après chaque repas avec une brosse à dents souple et du dentifrice.
- Évite de manger des bonbons. Ce sont les plus grands ennemis de tes dents.
- Les microbes aiment vivre dans la salive sucrée.
- Va voir ton dentiste tous les six mois.
- Les caries abîment les dents et y forment un trou.
- Le dentiste enlève la partie abîmée et remplit le trou avec un plombage.
- Mets ta dent tombée sous l'oreiller et une petite souris va échanger cette dent contre un petit cadeau ou de l'argent.

2. Réponds aux questions en anglais.

1. What are teeth made of? ……………………………………
2. When should you brush your teeth? ……………………………………
3. What should you use to brush your teeth? ……………………………………
4. What should you avoid eating? ……………………………………
5. Where do microbes live? ……………………………………
6. How often should you visit the dentist? ……………………………………
7. What spoils teeth and forms holes? ……………………………………
8. What is the French word for tooth decay? ……………………………………
9. What is the French word for a filling? ……………………………………
10. When a tooth comes out, where do you put it? ……………………………………
11. Who takes the tooth away? ……………………………………

3. Je sais parler français.

Léo mange une belle pomme rouge et soudain il a mal à une dent de lait. Il touche une dent qui bouge. Il crie à sa mère. "Maman, j'ai une dent qui bouge!" Sa mère répond: "Laisse-la! Elle va tomber toute seule." Une heure plus tard, la langue de Léo trouve un grand trou dans sa bouche. Il a perdu (has lost) sa dent de lait. Il cherche partout et trouve la petite dent sur une chaise dans la cuisine. Il met la dent sous son oreiller. Pendant la nuit la petite souris arrive et échange la dent contre deux euros. Léo est très heureux. Il aime les dents de lait!!

J'ai un chapeau, mais pas de tête. J'ai un pied mais pas de chaussures. Qui suis-je?
un champignon!
Track 77

Nous sommes le ....

1. Traduis en français.

Exemple: Take the first on the right. *Prenez la première à droite.*

1. Continue straight on
2. Take the second on the left.
3. The house is opposite the school.
4. The cinema is next to the station.
5. The church is opposite the park.

2. Écris ces sommes sous forme de prix. (The French way)

Exemple: soixante-neuf euros treize *69,13€*

1. dix-neuf euros quarante
2. trente-cinq euros vingt
3. quarante et un euros quinze
4. vingt euros soixante-cinq
5. soixante-huit euros quatorze
6. quatre-vingts euros dix
7. cinquante-cinq euros onze
8. cent euros soixante-dix-huit
9. quatre-vingt-dix euros seize
10. quatorze euros soixante-douze

3. Ajoute le verbe 'aller' et au, à la ou à l'. Traduis les phrases en anglais.

Exemple: Je *vais à l'* école. *I am going to school.*

1. Il .... gare. ....
2. Vous .... supermarché. ....
3. On .... poste. ....
4. Tu .... boulangerie. ....
5. Ils .... piscine. ....

4. Traduis les phrases en anglais.

1. Bonjour madame, vous désirez?
2. Je voudrais un paquet de pâtes.
3. Ça coûte combien?
4. Ça coûte quatre euros soixante-quinze.
5. Et avec ça?

5. Traduis en anglais.

1. le dentifrice
2. le trou
3. le repas
4. la souris
5. l'oreiller
6. tomber
7. éviter
8. enlever
9. échanger
10. abîmer

le vocabulaire (vii)

Nous sommes le ....

1. Un bâtiment où on voit des films.
....

2. le jour de ta naissance (birth)
....

3. le contraire de 'droit'
....

4. Écris '3e' en français.
....

5. Comment s'appelle le premier janvier en France?
....

6. Un bâtiment avec une grande lumière pour guider les bateaux.
....

7. une vaste et belle maison souvent à la campagne
....

8. le pays au nord de la Grand-Bretagne
....

9. un véhicule à deux roues sans moteur
....

10. le jour férié, en France, en novembre
....

11. Les fruits, cuits avec du sucre, qu'on mange avec du pain.
....

12. un gâteau sec à base de farine, d'oeufs et de sucre
....

13. un panier métallique à roulettes au supermarché
....

14. Un liquide blanc produit par les vaches.
....

15. un organe en ivoire dans la bouche
....

16. Quel animal échange la dent de lait contre un petit cadeau?
....

17. Un mélange qui remplit (fills) le trou dans une dent.
....

18. un copain
....

19. la monnaie et les billets
....

20. Un bâtiment où on achète des timbres et envoie des lettres.
....

un phare	la confiture	le lait	le jour de l'an	mon anniversaire
un ami	un château	un cinéma	l'argent	la Toussaint
la poste	un plombage	un vélo	troisième	une dent
un chariot	gauche	un biscuit	la petite souris	l'Écosse

the	le	masculine noun singular	le livre
	la	feminine noun singular	la maison
	l'	singular noun beginning with a vowel	l'arbre
	les	all plural nouns	les enfants
a	un	masculine noun singular	un livre
	une	feminine noun singular	une maison
some	du	masculine noun (non countable)	du pain
	de la	feminine noun (non countable)	de la viande
	de l'	nouns beginning with a vowel (non countable)	de l'eau
	des	all plural nouns	des frites
at and to	au	masculine noun singular	au cinéma
	à la	feminine noun singular	à la gare
	à l'	singular noun beginning with a vowel or h	à l'hôtel
	aux	all plural nouns	aux magasins
you	tu	a good friend, a child, a family member and a pet	
	vous	an adult you do not know well (as a sign of respect)	
		more than one person	

Adjectives

Adjectives must agree with the noun they describe

- masculine nouns need masculine adjectives
- feminine nouns need feminine adjectives
- plural nouns need plural adjectives

Colours come after the noun they describe.

Some adjectives have an irregular feminine form.

beau/belle, blanc/blanche, bon/bonne, fou/folle, frais/fraîche
gentil/gentille, gros/grosse, long/longue, mignon/mignonne
nouveau/nouvelle, sec/sèche, vieux/vieille, violet/violette

Adjectives ending in 'eux' change to 'euse' in the feminine.

courageux/courageuse, délicieux/délicieuse,
ennuyeux/ennuyeuse, gazeux/gazeuse, généreux/généreuse
heureux/heureuse, paresseux/paresseuse

Most adjectives come after the noun they describe but these adjectives come before the noun.

mauvais, méchant, villain, beau
petit, haut, vieux, joli, gros
nouveau, gentil, jeune et bon
grand, meilleur, vaste et long

what	quel	masculine singular	quel beau jardin!
	quelle	feminine singular	quelle belle couleur!
	quels	masculine plural	quels beaux jardins!
	quelles	feminine plural	quelles belles couleurs!
all, every the whole	tout	masculine singular	tout le gâteau
	toute	feminine singular	toute la classe
	tous	masculine plural	tous les garçons
	toutes	feminine plural	toutes les filles

Possessive adjectives

my	mon	masculine noun singular	mon frère
	ma	feminine noun singular	ma soeur
	mes	all plural nouns	mes cousins
your	ton	masculine noun singular	ton frère
	ta	feminine noun singular	ta soeur
	tes	all plural nouns	tes cousins
his/her its	son	masculine noun singular	son frère
	sa	feminine noun singular	sa soeur
	ses	all plural nouns	ses cousins

The possessive 's'

There is no possessive 's' in French.
Sophie's dog has to be translated 'the dog of Sophie'.

the cat's tail (the tail of the cat)	la queue du chat
the cats' tails (the tails of the cats)	les queues des chats
the girl's book (the book of the girl)	le livre de la fille
the girls' books (the books of the girls)	les livres des filles

Pronouns

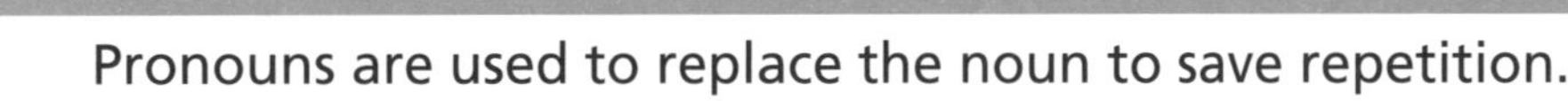

Pronouns are used to replace the noun to save repetition.

Je	Tu	Il	Elle	On
Nous	Vous	Ils	Elles	

Don't forget that there is no French word for 'it'
You have to write 'he' or 'she'.

il	masculine pronoun singular	Il est beau.
elle	feminine pronoun singular	Elle est belle.
ils	masculine pronoun plural	Ils sont beaux.
elles	feminine pronoun plural	Elles sont belles.

'on' On is a useful little pronoun which is often used instead of nous.

On arrive à trois heures.	We arrive at three o'clock.

The negative

To make a verb negative you add ne before the verb and pas after the verb.

Je suis content.	I am happy.
Je ne suis pas content.	I am not happy.

If the verb begins with a vowel the ne become n'.

Je n'ai pas de frères.	I haven't any brothers.

When a verb is followed by the infinitive you make the first verb negative and leave the infinitive unchanged.

Je vais jouer au tennis.	I am going to play tennis.
Je ne vais pas jouer au tennis.	I am not going to play tennis.

The infinitive

This is the title of a verb - in English the infinitive begins with 'to'.

chanter	to sing
aller	to go
être	to be
donner	to give

Regular 'er' verbs

The French only have one present tense (the simple present).

Je donne	I give
Je donne	I am giving

For all 'er' verbs you use the following endings.
NB. Never use the verb 'to be' when translating the present continuous.

Chanter to sing	simple present	present continuous
Je chante	I sing	I am singing
Tu chantes	You sing	You are singing
Il chante	He/it sings	He/it is singing
Elle chante	She/it sings	She/it is singing
On chante	You/we sing	You/we are singing
Nous chantons	We sing	We are singing
Vous chantez	You sing	You are singing
Ils chantent	They sing (m,m&f)	They are singing (m,m&f)
Elles chantent	They sing (f)	They are singing (f)

Irregular verbs

être to be

Je suis I am
Tu es You are
Il/elle est He/she/it is
Nous sommes We are
Vous êtes You are
Ils/elles sont They are

avoir to have

J'ai I have
Tu as You have
Il/elle a He/she/it has
Nous avons We have
Vous avez You have
Ils/elles ont They have

aller to go

Je vais I go
Tu vas You go
Il/elle va He/she/it goes
Nous allons We go
Vous allez You go
Ils/elles vont They go

faire to make/do

Je fais I make/do
Tu fais You make/do
Il/elle fait He/she/it makes/does
Nous faisons We make/do
Vous faites You make/do
Ils/elles font They make/do

Future tense with 'aller'

For things that are going to happen, use the verb 'aller' + the infinitive.

Je vais acheter un pull.	I am going to buy a jumper.
Il va travailler.	He is going to work.

Reflexive verbs

For verbs where action happens to the person as the subject. Many reflexive verbs refer to a daily routine.

Je lave la voiture.	I wash the car.
Je me lave.	I wash. (myself)
Tu réveilles ton frère.	You wake your brother up.
Tu te réveilles.	You wake up. (yourself)
Il appelle sa mère.	He calls his mother.
Il s'appelle Théo.	He is called Théo.
Elle habille sa poupée.	She dresses her doll.
Elle s'habille.	She gets dressed. (herself)
s'amuser	to have fun
se réveiller	to wake up
se coucher	to go to bed
se brosser les dents	to brush your teeth
s'appeler	to be called
se trouver	to be (situated)

Asking questions

There are three ways of asking a question in French.

1. adding est-ce que to a sentence

   Est-ce que tu vas à l'école?

2. raising your voice at the end of a sentence

   Tu vas à l'école?

3. reversing the subject and the verb

   Vas-tu à l'école?

NB When reversing the pronouns il/elle/on and the verb you will need to add hyphen t hyphen to ease the pronunciation.

Il mange une pizza.	Mange-t-il une pizza?
Elle chante.	Chante-t-elle?

Accents

There are five accents in French and each one is a guide to pronunciation.

l'accent aigu (the acute) **é**
The accent changes the flat sound in **le** to a sharper sound as in **préféré**

l'accent grave (the grave) **è à**
The accent changes the flat sound in **le** to a more open sound as in **frère**

l'accent circonflexe (the circumflex) **ê â**
The accent often shows that an 's' is missing as in la **forêt** and la **fête**.

la cédille (the cedilla) **ç**
The accent softens the hard sound of c to a soft sound as in **le garçon**.

le tréma (the trema) **ë**
The accent splits two vowels into two separate sounds as in **Noël**.

Vocabulaire

la grenouille - p5

la branchie	gill
la gelée	jelly
l'œuf (m)	egg
la patte arrière	back leg
la patte avant	front leg
la queue	tail
la tache	spot
le têtard	tadpole

Verbes

commencer	to begin
devoir	to have to (ils doivent)
éclore	to hatch
nager	to swim
perdre	to lose
pousser	to grow
raccourcir	to shorten
respirer	to breathe

le corbeau et le renard - p12

l'arbre (m)	tree
le bec	beak
le corbeau	crow
le fromage	cheese
l'odeur (f)	smell
le plumage	plumage
le renard	fox
rusé	cunning
la voix	voice

attirer	to attract
chanter	to sing
doit être	must be
employer	to use
montrer	to show
ouvrir	to open
il veut	he wants
respirer	to breathe

l'arc-en-ciel - p19

amusant	funny
l'ami (m)	friend
la capucine	marigold
la cerise	cherry
la chenille	caterpillar
le coquelicot	poppy
le demi-cercle	semi circle
drôle	funny
la feuille	leaf
joli	pretty
la liberté	freedom
la lumière	light
la main	hand
la mer	sea
l'oiseau (m) de proie	bird of prey
le pamplemousse	grapefruit
le papillon	butterfly
le pied	foot
la pluie	rain

caresser	to stroke
chanter	to sing
chauffer	to heat/warm
courir* (*not an er verb)	to run
crier	to shout
danser	to dance
grimper à	to climb
jouer	to play
plonger	to dive
sauter	to jump
toucher	to touch
trouver	to find
visiter	to visit
voler	to fly/steal

Expressions

à toute vitesse	at full speed
à voix forte	loudly
comme des fous	like mad

Vocabulaire

le cycle de l'eau - p26

l'assiette (f)	plate
le glaçon	ice cube
la goutte	drop
le fleuve	river
le nuage	cloud
le récipient en verre	glass container
refroidi	cooled
la vapeur	steam

Pierre et le loup - p33

autour de	around
la corde	rope
doucement	gently
le fusil	gun
l'histoire (f)	story
la mare	pond
le nœud coulant	noose
la prairie	meadow
la queue	tail
rempli de	full of
de toutes ses forces	with all his might
les vacances (f)	holidays
le ventre	stomach/tummy
quel genre de	what kind of

drôle de voleur! - p40

le bâtiment	building
le bonbon	sweet
la clé	key
la cuisine	kitchen
l'étagère (f)	shelf
le placard	cupboard
le robinet	tap
la tarte aux pommes	apple pie
la tasse cassée	broken cup
le voleur	thief

Verbes

bouillir	to boil
verser	to pour
poser	to put/place
rencontrer	to meet
produire	to produce
réchauffer	to heat/warm up
transformer	to transform/change
serrer	to squeeze

attraper	to catch
cancaner	to quack
chanter	to sing
chuchoter	to whisper
s'envoler	to take off
glisser	to slide
mener	to lead
ouvrir	to open
passer	to spend
plonger	to dive
se poser	to put (place)
sortir de	to come out of
tirer	to pull and to shoot
voler	to fly

avoir soif/faim	to be thirsty/hungry
boire	to drink
entrer dans	to enter
laisser	to leave (something)
manger	to eat
mettre	to put
placer	to place
quitter	to leave (from somewhere)
trouver	to find
se trouver	to be (found)

Vocabulaire

les dents - p47

la carie	hole (tooth decay)
le dentifrice	toothpaste
une dent qui bouge	wobbly tooth
doux (douce)	soft
l'ennemi (m)	enemy
l'oreiller (m)	pillow
pendant	during
le plombage	filling (tooth)
le repas	meal
la salive	saliva
sucré (sucrée)	sweet
le trou	hole

Verbes

abîmer	to spoil
brosser	to brush
échanger	to exchange
enlever	remove/take out
éviter	to avoid
perdre	to lose
mettre	to put
rendre visite	to visit (person not place)
remplir	to fill

Quelle heure est il?

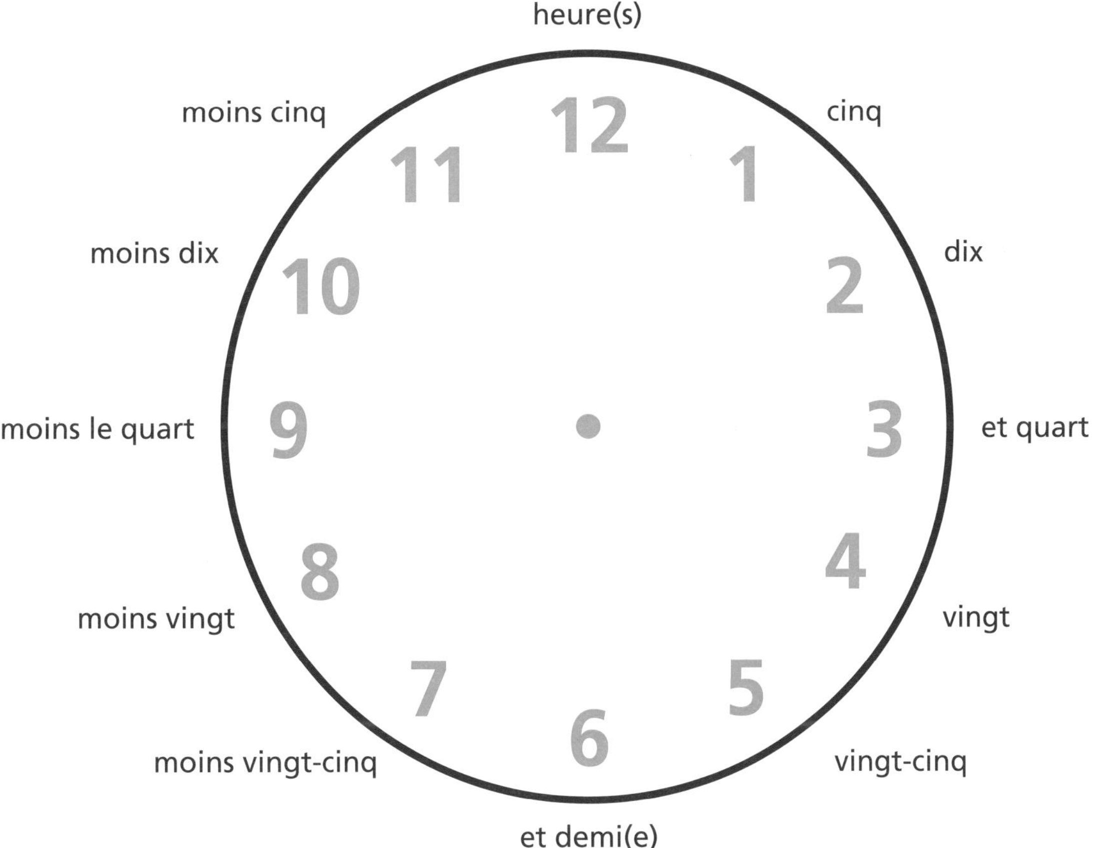

Quelle heure est-il?	What time is it?
À quelle heure	At what time
Il est ……heures.	It is ……..o'clock.

0 zéro	**1** un	**2** deux	**3** trois	**4** quatre	**5** cinq	**6** six	**7** sept	**8** huit	**9** neuf
10 dix	**11** onze	**12** douze	**13** treize	**14** quatorze	**15** quinze	**16** seize	**17** dix-sept	**18** dix-huit	**19** dix-neuf
20 vingt	**21** vingt et un	**22** vingt-deux	**23** vingt-trois	**24** vingt-quatre	**25** vingt-cinq	**26** vingt-six	**27** vingt-sept	**28** vingt-huit	**29** vingt-neuf
30 trente	**31** trente et un	**32** trente-deux	**33** trente-trois	**34** trente-quatre	**35** trente-cinq	**36** trente-six	**37** trente-sept	**38** trente-huit	**39** trente-neuf
40 quarante	**41** quarante et un	**42** quarante-deux	**43** quarante-trois	**44** quarante-quatre	**45** quarante-cinq	**46** quarante-six	**47** quarante-sept	**48** quarante-huit	**49** quarante-neuf
50 cinquante	**51** cinquante et un	**52** cinquante-deux	**53** cinquante-trois	**54** cinquante-quatre	**55** cinquante-cinq	**56** cinquante-six	**57** cinquante-sept	**58** cinquante-huit	**59** cinquante-neuf
60 soixante	**61** soixante et un	**62** soixante-deux	**63** soixante-trois	**64** soixante-quatre	**65** soixante-cinq	**66** soixante-six	**67** soixante-sept	**68** soixante-huit	**69** soixante-neuf
70 soixante-dix	**71** soixante et onze	**72** soixante-douze	**73** soixante-treize	**74** soixante-quatorze	**75** soixante-quinze	**76** soixante-seize	**77** soixante-dix-sept	**78** soixante-dix-huit	**79** soixante-dix-neuf
80 quatre-vingts	**81** quatre-vingt-un	**82** quatre-vingt-deux	**83** quatre-vingt-trois	**84** quatre-vingt-quatre	**85** quatre-vingt-cinq	**86** quatre-vingt-six	**87** quatre-vingt-sept	**88** quatre-vingt-huit	**89** quatre-vingt-neuf
90 quatre-vingt-dix	**91** quatre-vingt-onze	**92** quatre-vingt-douze	**93** quatre-vingt-treize	**94** quatre-vingt-quatorze	**95** quatre-vingt-quinze	**96** quatre-vingt-seize	**97** quatre-vingt-dix-sept	**98** quatre-vingt-dix-huit	**99** quatre-vingt-dix-neuf
100 cent	**101** cent un	**102** cent deux	**103** cent trois	**104** cent quatre	**105** cent cinq	**106** cent six	**107** cent sept	**108** cent huit	**109** cent neuf

1er (ère) premier première	**2**ème deuxième	**3**ème troisième	**4**ème quatrième	**5**ème cinquième	**6**ème sixième	**7**ème septième	**8**ème huitième	**9**ème neuvième	**10**ème dixième

Vocabulary *English to French A-Z*

	after	après
	afternoon	l' (m) après-midi
	alarm clock	le réveil
	All Saints' day	la Toussaint
	already	déjà
	also	aussi
	always	toujours
	always	tout le temps
	angel	l' (m) ange
	angry	fâché
	animal	l' (m) animal/animaux
	ant	la fourmi
	apple	la pomme
	arrow	la flèche
to	attach	attacher
	autumn	l' (m) automne
	back	le dos
	bad	mauvais
	baker's	la boulangerie
	bank holiday	le jour férié
	basket	le panier
	battle	la bataille
to	be	être
	beach	la plage
to	be careful!	faire attention!
	because	parce que
to go to	bed	se coucher
to make the	bed	faire le lit
	bedroom	la chambre
	bee	l' (f) abeille
to	begin	commencer
	behind	derrière
	bend (in road)	le virage
	between	entre
	big	grand
	bird	l' (m) oiseau
	book	le livre
	boring	ennuyeux/ennuyeuse
	bottle	la bouteille
	box/tin (can)	la boîte
	boy	le garçon
	bread	le pain
to	break (broken)	casser (cassé)
	breakfast	le petit déjeuner
	breaktime (school)	la récré(ation)
to	breath	respirer
	bridge	le pont
to	bring	apporter
	brother	le frère
	building	le bâtiment
	but	mais
	butcher's	la boucherie
	butterfly	le papillon
	button	le bouton

to	buy	acheter
	by (near)	au bord de
	cabbage	le chou
	cake	le gâteau
	calculator	la calculatrice
	candle	la bougie
	car	la voiture
be	careful!	faites attention!
	carpet	le tapis
	carrot	la carotte
	cashier	la caissière
	castle	le château
	cat	le chat
	caterpillar	la chenille
to	catch	attraper
to	celebrate	fêter
	cereal	les (f) céréales
to	chase/hunt	chasser
to	cheat	tricher
to	check	vérifier
	cheek	la joue
	chemist's	la pharmacie
	chest of drawer	la commode
	child	l' (m) enfant
	chin	le menton
	chips	les (f) frites
	church	l' (f) église
	cicada	la cigale
	classroom	la salle de classe
	clothes	les (m) vêtements
	cloud	le nuage
	coat	le manteau
	cold	le froid
to be	cold	avoir froid
	colour	la couleur
	computer	l' (m) ordinateur
	concert	le concert
to	conjugate (a verb)	conjuguer
	container	le récipient
	cooked	cuit
to do the	cooking	faire la cuisine
	country	le pays
	countryside	la campagne
	cousin	le cousin(e)
	crisps	les (f) chips
	croissant	le croissant
	crow	le corbeau
to	cry	pleurer
	cunning	rusé
	cup	la tasse
	cupboard	le placard
	curtain	le rideau
to	cut	couper
	daffodil	la jonquille

Vocabulary *English to French A-Z*

	English	French
	dangerous	dangereux/dangereuse
	dark	sombre
	daughter	la fille
	day	le jour
	dead	mort
to	deal (cards)	distribuer
	delicious	délicieux/délicieuse
	delighted	ravi
	direction	la direction
	dirty	sale
to	do/make	faire
	doctor	le médecin
	donkey	l' (m) âne
	drawer	le tiroir
	dress	la robe
to get	dressed	s' habiller
	drinkable	potable
	drop (liquid)	la goutte
	duck	le canard
	during	pendant
	each	chaque
	earth	la terre
	east	l' (m) est
	Easter	les (f) Pâques
	easy	facile
to	eat	manger
	egg	l' (m) oeuf
	elephant	l' (m) éléphant
	end	la fin
	English	l' (m) anglais
	enough	assez
to	enter	entrer (dans)
	entrance	l' (f) entrée
	especially	surtout
	Europe	l' (f) Europe
	even (number)	pair
	every day	tous les jours
	everyone	tout le monde
	except	sauf
	exit	la sortie
	fair	juste
to	fall	tomber
	far from	loin de
	father	le père
	favourite	préféré
	feather	la plume
	female	la femelle
	filling (tooth)	le plombage
to	find	trouver
	finger	le doigt
	fire/light	le feu
	firework	le feu d'artifice
	first	premier/première
	fish	le poisson
	fizzy	gazeux/gazeuse
	flag	le drapeau
	floor	le plancher
	flour	la farine
	flower	la fleur
to	fly/steal	voler
	fog	le brouillard
	following (next)	suivant
	food	la nourriture
	for	pour
	forbidden	interdit
	forest	la forêt
to be	found	se trouver
	fox	le renard
it's	freezing	il gèle
	French	le français
	fridge	le frigo
	friend	l' (m/f) ami/amie
	friend	le/la copain/copine
to be	frightened	avoir peur
	frog	la grenouille
	frost	le gel
	frozen	congelé
	frying pan	la poêle
	fuel	le carburant
	funny	drôle
	furious	furieux/furieuse
	game	le jeu
	garage	le garage
	garden	le jardin
	generous	généreux/généreuse
	genius	le génie
	gentle/soft	doux/douce
	gently	doucement
	Germany	l' (f) Allemagne
	ghost	le fantôme
	girl	la fille
to	give	donner
	glass	le verre
	glasses	les (f) lunettes
	glove	le gant
to	go	aller
	goat	la chèvre
	god	le dieu
	good	bon/bonne
	goose	l' (f) oie
	gorgeous	ravissant
	grapefruit	le pamplemousse
It's	great!	C'est formidable!
	great/amazing!	genial!
	ground/earth	la terre
to	grow/push	pousser
to	guess	deviner
	guinea pig	le cochon d'Inde

Vocabulary *English to French A-Z*

	hand	la main
	happy	content
	happy	heureux/heureuse
	hard	dur
	hard working	studieux/studieuse
	hare	le lièvre
	hat	le chapeau
to	hate	détester
to	have	avoir
	head	la tête
to	heat	chauffer
	help	le secours
	hen	la poule
to	hide	cacher
	hole	le trou
	holidays	les (f) vacances
	homework	les (m) devoirs
	honey	le miel
	horse	le cheval/chevaux
to be	hot	avoir chaud
	hot	chaud
	house	la maison
to do the	housework	faire le ménage
	human being	l' (m) être humain
to be	hungry	avoir faim
	I.T.	l' (f) informatique
	ice cube	le glaçon
	ice-cream/mirror	la glace
	ill	malade
	immediately	tout de suite
	in	dans/en
	jam	la confiture
	joke	la blague
	journey	le voyage
to	jump	sauter
	jumper/pullover	le pull
to	keep	garder
	key	la clé/clef
	kind	gentil/gentille
	kind	sympa
	king	le roi
	kitchen	la cuisine
to	knock/hit	frapper
	laptop	l' (m) ordinateur portable
	last	dernier/dernière
	late	tard
	lazy	paresseux/paresseuse
	leaf	la feuille
to	leave	laisser
to	leave	quitter
	left	gauche
	leg	la jambe
	lemon	le citron

	lesson	le cours
	lesson	la leçon
	life	la vie
to	light	allumer
	light	la lumière
	lighthouse	le phare
to	like	aimer
to	listen to	écouter
	lively	vif/vive
to	look at	regarder
to	look for	chercher
	lots of	beaucoup de
	lounge	le salon
to	love	adorer
	love	l' (m) amour
	lovely	beau/belle
It's a	lovely day	Il fait beau
to be	lucky	avoir de la chance
	lunch (to have)	déjeuner
	mad	fou/folle
	mammal	le mammifère
	man	l' (m) homme
	mark (school)	la note
	match	l' (f) allumette
	meal	le repas
to	meet	rencontrer
	mermaid	la sirène
	mid-day	midi
in the	middle of	au milieu de
	misfortune	le malheur
	mobile phone	le portable
	mole	la taupe
	money	l' (m) argent
	month	le mois
	morning	le matin
	mother	la mère
to the	mountains	à la montagne
	mouse	la souris
	mud	la boue
	nasturtium	la capucine
	nasty/unkind	méchant
	naughty/ugly	vilain
	near	près de
	near/close	proche
	new	nouveau/nouvelle
	newspaper	le journal/journaux
	next to	à côté de
	no good/rubbish	nul/nulle
	noise	le bruit
	now	maintenant
	number/figure	le chiffre
	octopus	le pieuvre
	odd (number)	impair
	of course	bien sûr

Vocabulary *English to French A-Z*

	English	French
	often	souvent
	old	vieux/vieille
	open	ouvert
	opposite	en face de
	outside	en dehors de
	outside (of)	hors de
	overtaking	le dépassement
	owl	le hibou
	packet	le paquet
	pancake	la crêpe
	paper	le papier
	park	le parc
	party	la fête
	passer by	le passant
	past	le passé
	pasta	les (f) pâtes
	pastry	la pâte
	peace	la paix
	peas	les (m) petits pois
	pedestrian	le piéton
	pencil case	la trousse
	perfume	le parfum
	pizza	la pizza
	plate	l' (f) assiette
to	play	jouer
	player	le joueur
	playground	la cour
	pocket	la poche
	policeman	le policier
	pond	le bassin
	poor	pauvre
	poppy	le coquelicot
to	pour	verser
to	practise	pratiquer
to	prefer	préférer
	present	le cadeau
	pretty	joli
	proud	fier/fière
	public	public/publique
	puddle	la flaque d'eau
	pupil	l' (m/f) élève
	purse	le porte-monnaie
to	put	poser
to	put things away	ranger les affaires
to	put/place	placer
	queen	la reine
	quickly	vite
	quiet	tranquille
	rain	la pluie
	rainbow	l' (m) arc-en-ciel
it's	raining	il pleut
	rather	plutôt
	reading	la lecture
	reindeer	le renne
	relaxed/laid back	décontracté
	reply	la réponse
	rescue	le sauvetage
	rich	riche
	riddle	la devinette
	right	droit
	ring	l' (m) anneau
to	ring	sonner
	ripe	mûr
	river	la rivière
	road	la route
	rocket	la fusée
	rubber	la gomme
	rubbish (waste)	les (m) déchets
	sad	triste
	sailing	la voile
	salad bowl	le saladier
	salty	salé
	scarf	l' (f) écharpe
	school	l' (f) école
	Scotland	l' (f) Écosse
	sea	la mer
	seagull	la mouette
	selfish	égoïste
	service (church)	la messe
	shelf	l' (f) étagère
	shell	la coquille
	shepherd	le berger
to do the	shopping	faire les courses
to	shout	crier
to	show	montrer
	shut/closed	fermé
	sign (road)	le panneau
	silly/stupid	bête
to	sing	chanter
	sister	la soeur
to	sit down	s' asseoir
	skirt	la jupe
to	slip	glisser
	slowly	lentement
	small	petit
	smell	l' (m) odeur
to	smoke	fumer
	smoker	le fumeur
	snail	l' (m) escargot
	snow	la neige
to	snow	neiger
	sock	la chaussette
	sofa	le canapé
	something	quelque chose
	sometimes	quelquefois
	son	le fils
	sorry	désolé
	soup	la soupe

Vocabulary *English to French A-Z*

	spare time	le passe-temps
	spoilt	gâté
	sporty	sportif/sportive
	spring	le printemps
	star	l' (f) étoile
	station (railway)	la gare
to	stay	rester
	steam	la vapeur
	stomach	le ventre
to	stop	arrêter
	storm	la tempête
	strict	sévère
to	strike (match)	craquer (une allumette)
to	study	étudier
	subject (school)	la matière
	suddenly	tout à coup
	sugar	le sucre
	suitcase	la valise
	sum (total)	la somme
	summer	l' (m) été
	sums (maths)	le calcul
	sun	le soleil
	sun glasses	les (f) lunettes de soleil
	supermarket	le supermarché
	sweet	le bonbon
	sweet/cute	mignon/mignonne
	sweet/sugary	sucré
to	swim	nager
	swimming costume	le maillot de bain
	swimming pool	la piscine
	tadpole	le têtard
	tail/queue	la queue
	tale (story)	le conte
	tap	le robinet
	taste	le goût
	teacher	le professeur
	team	l' (f) équipe
	telephone	le téléphone
	temperature/fever	la fièvre
to	thank	remercier
	then	puis
	thief	le voleur
to	think	penser
to be	thirsty	avoir soif
	throat	la gorge
	thumb	le pouce
	timetable	l' (m) emploi du temps
	to like	aimer
	today	aujourd'hui
	tomorrow	demain
	tonight (evening)	ce soir (le soir)
	too many	trop de
	tooth	la dent
	towel	la serviette
	town	la ville
	toy	le jouet
	traffic lights	les (m) feux (tricolores)
	train	le train
	trainers	les (f) baskets
	trolley (supermarket)	le chariot
	trousers	le pantalon
	true	vrai
	trump (card game)	l' (m) atout
	unfortunately	malheureusement
	United States	les (m) États Unis
	up to	jusqu'à
	upstairs	en haut
to	use	utiliser
	useless (no use)	inutile
	usually	d'habitude
	very	très
	view	la vue
	village	le village
	voice	la voix
to go for a	walk	faire une promenade
to	walk/work (function)	marcher
	war	la guerre
to	wash	laver
to do the	washing	faire la lessive
	washing machine	la machine à laver
to do the	washing up	faire la vaisselle
	water	l' (f) eau
to	wear/carry	porter
	week	la semaine
	well known	connu
	wet	mouillé
	whale	la baleine
	what/which	quel/quelle
	when	quand
to	whisper	chuchoter
	who	qui
	why	pourquoi
	widower/widow	le/la veuf/veuve
	wild	sauvage
to	win	gagner
	wind	le vent
	wing	l' (f) aile
	windmill	le moulin
	winter	l' (m) hiver
	wolf	le loup
	wood	le bois
	woolly hat	le bonnet
	word	le mot
to	work	travailler
	world	le monde
	written	écrit
	year	l' (f) année
	young	jeune

Vocabulary *French to English A-Z*

	French	English
l' (f)	abeille	bee
	acheter	to buy
	adorer	to love
l' (f)	aile	wing
	aimer	to like
l' (f)	Allemagne	Germany
	aller	to go
	allumer	to light
l' (f)	allumette	match
l' (m/f)	ami/amie	friend
l' (m)	amour	love
l' (m)	âne	donkey
l' (m)	ange	angel
l' (m)	anglais	English
l' (m)	animal/animaux	animal
l' (m)	anneau	ring
l' (f)	année	year
	apporter	to bring
	après	after
l' (m)	après-midi	afternoon
l' (m)	arc-en-ciel	rainbow
l' (m)	argent	money
	arrêter	to stop
s'	asseoir	to sit down
	assez	enough
l' (f)	assiette	plate
l' (m)	atout	trump (card game)
	attacher	to attach
faire	attention!	to take care!
	attraper	to catch
	au bord de	by (near)
	aujourd'hui	today
	aussi	also
l' (m)	automne	autumn
	avoir	to have
la	baleine	whale
en	bas	downstairs
les (f)	baskets	trainers
le	bassin	pond
la	bataille	battle
le	bâtiment	building
	beau/belle	lovely
Il fait	beau	It's a lovely day
	beaucoup de	lots of
le	berger	shepherd
	bête	silly/stupid
	bien sûr	of course
la	blague	joke
le	bois	wood
la	boîte	box/tin (can)
	bon/bonne	good
le	bonbon	sweet
le	bonnet	woolly hat
la	boucherie	butcher's

	French	English
la	boue	mud
la	bougie	candle
la	boulangerie	baker's
la	bouteille	bottle
le	bouton	button
le	brouillard	fog
le	bruit	noise
	cacher	to hide
le	cadeau	present
la	caissière	cashier/check out lady
le	calcul	sums (maths)
la	calculatrice	calculator
la	campagne	countryside
le	canapé	sofa
le	canard	duck
la	capucine	nasturtium
le	carburant	fuel
la	carotte	carrot
	casser (cassé)	to break (broken)
les (f)	céréales	cereal
la	chambre	bedroom
	avoir de la chance	to be lucky
	chanter	to sing
le	chapeau	hat
le	chariot	trolley (supermarket)
	chaque	each
	chasser	to chase/hunt
le	chat	cat
le	château	castle
avoir	chaud	to be hot
	chaud	hot
	chauffer	to heat
la	chaussette	sock
la	chenille	caterpillar
	chercher	to look for
le	cheval/chevaux	horse
la	chèvre	goat
le	chiffre	number/figure
les (f)	chips	crisps
le	chou	cabbage
	chuchoter	to whisper
la	cigale	cicada
le	citron	lemon
la	clé/clef	key
le	cochon d'Inde	guinea pig
	commencer	to begin
la	commode	chest of drawers
le	concert	concert
la	confiture	jam
	congelé	frozen
	conjuguer	to conjugate (a verb)
	connu	well known
le	conte	tale (story)
	content	happy

Vocabulary *French to English A-Z*

	French	English
le/la	copain/copine	friend
le	coquelicot	poppy
la	coquille	shell
le	corbeau	crow
à	côté de	next to
se	coucher	to go to bed
la	couleur	colour
	couper	to cut
la	cour	playground
le	cours	lesson
faire les	courses	to do the shopping
le	cousin(e)	cousin
	craquer (une allumette)	to strike (match)
la	crêpe	pancake
	crier	to shout
le	croissant	croissant
la	cuisine	kitchen
faire la	cuisine	to do the cooking
	cuit	cooked
	dangereux/dangereuse	dangerous
	dans	in
les (m)	déchets	rubbish (waste)
	décontracté	relaxed/laid back
en	dehors de	outside
	déjà	already
	déjeuner	lunch (to have)
	délicieux/délicieuse	delicious
	demain	tomorrow
la	dent	tooth
le	dépassement	overtaking
	dernier/dernière	last
	derrière	behind
	désolé	sorry
	dessiner	to draw
	détester	to hate
	deviner	to guess
la	devinette	riddle
les (m)	devoirs	homework
	d'habitude	usually
le	dieu	god
la	direction	direction
	distribuer	to deal (cards)
le	doigt	finger
	donner	to give
le	dos	back
	doucement	gently
	doux/douce	gentle/soft
le	drapeau	flag
	droit	right
	drôle	funny
	dur	hard
l' (f)	eau	water
l' (f)	écharpe	scarf

	French	English
l' (f)	école	school
l' (f)	Écosse	Scotland
	écouter	to listen to
	écrit	written
l' (f)	église	church
	égoïste	selfish
l' (m)	éléphant	elephant
l' (m/f)	élève	pupil
l' (m)	emploi du temps	timetable
l' (m)	enfant	child
	ennuyeux/ennuyeuse	boring
	entre	between
l' (f)	entrée	entrance
	entrer (dans)	to enter
l' (f)	équipe	team
l' (m)	escargot	snail
l' (m	est	east
l' (f)	étagère	shelf
l' (m)	été	summer
l' (f)	étoile	star
	être	to be
l' (m)	être humain	human being
	étudier	to study
l' (f)	Europe	Europe
en	face de	opposite
	fâché	angry
	facile	easy
avoir	faim	to be hungry
	faire	to do/make
le	fantôme	ghost
la	farine	flour
la	femelle	female
	férié (un jour)	bank holiday
	fermé	shut/closed
la	fête	party
	fêter	to celebrate
le	feu	fire/light
le	feu d'artifice	firework
la	feuille	leaf
les (m)	feux	traffic lights
	fier/fière	proud
la	fièvre	temperature/fever
la	fille	daughter/girl
le	fils	son
la	fin	end
la	flaque d'eau	puddle
la	flèche	arrow
la	fleur	flower
la	forêt	forest
C'est	formidable!	It's great!
	fou/folle	mad
la	fourmi	ant
le	français	French
	frapper	to knock/hit

Vocabulary *French to English A-Z*

le	frère	brother
le	frigo	fridge
les (f)	frites	chips
avoir	froid	to be cold
le	froid	cold
	fumer	to smoke
le	fumeur	smoker
	furieux/furieuse	furious
la	fusée	rocket
le	gant	glove
le	garage	garage
le	garçon	boy
	garder	to keep
la	gare	station (railway)
	gâté	spoilt
le	gâteau	cake
	gauche	left
	gazeux/gazeuse	fizzy
le	gel	frost
il	gèle	it's freezing
	généreux/généreuse	generous
	genial!	great/amazing!
le	génie	genius
	gentil/gentille	kind
la	glace	ice-cream/mirror
le	glaçon	ice cube
	glisser	to slip
la	gomme	rubber
la	gorge	throat
le	goût	taste
la	goutte	drop (liquid)
	grand	big/tall
la	grenouille	frog
la	guerre	war
s'	habiller	to get dressed
d'	habitude	usually
en	haut	upstairs
	heureux/heureuse	happy
le	hibou	owl
l' (m)	hiver	winter
l' (m)	homme	man
	hors de	outside (of)
la	leçon	lesson
	impair	odd (number)
l' (f)	informatique	I.T.
	interdit	forbidden
	inutile	useless (no use)
la	jambe	leg
le	jardin	garden
le	jeu	game
	joli	pretty
la	jonquille	daffodil
	jouer	to play
la	joue	cheek
le	jouet	toy
le	joueur	player
le	jour	day
le	jour férié	bank holiday
le	journal/journaux	newspaper
la	jupe	skirt
	jusqu'à	up to
	juste	fair
	laisser	to leave
	laver	to wash
la	lecture	reading
	lentement	slowly
les (m)	États Unis	United States
faire la	lessive	to do the washing
le	lièvre	hare
faire le	lit	to make the bed
le	livre	book
	loin de	far from
le	loup	wolf
la	lumière	light
les (f)	lunettes	glasses
les (f)	lunettes de soleil	sun glasses
la	machine a laver	washing machine
le	maillot de bain	swimming costume
la	main	hand
	maintenant	now
	mais	but
la	maison	house
	malade	ill
le	malheur	misfortune
	malheureusement	unfortunately
le	mammifère	mammal
	manger	to eat
le	manteau	coat
	marcher	to walk/work (function)
la	matière	subject (school)
le	matin	morning
	mauvais	bad
	méchant	nasty/unkind
le	médecin	doctor
faire le	ménage	to do the housework
le	menton	chin
la	mer	sea
la	mère	mother
la	messe	service (church)
	midi	mid-day
le	miel	honey
	mignon/mignonne	sweet/cute
au	milieu de	in the middle of
le	mois	month
le	monde	world
à la	montagne	to the mountains
	montrer	to show
	mort	dead

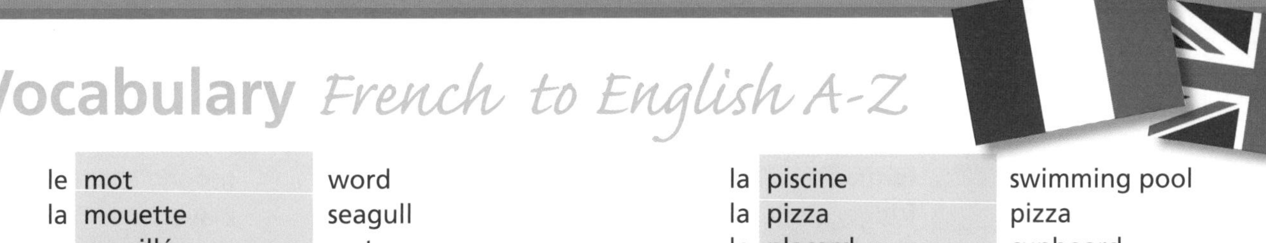

Vocabulary *French to English A-Z*

	French	English
le	mot	word
la	mouette	seagull
	mouillé	wet
le	moulin	windmill
	mûr	ripe
	nager	to swim
la	neige	snow
	neiger	to snow
la	note	mark (school)
la	nourriture	food
	nouveau/nouvelle	new
le	nuage	cloud
	nul/nulle	no good/rubbish
l' (m)	odeur	smell
l' (m)	œuf	egg
l' (f)	oie	goose
l' (m)	oiseau	bird
l' (m)	ordinateur	computer
l' (m)	ordinateur portable	laptop
	ouvert	open
le	pain	bread
	pair	even (number)
la	paix	peace
le	pamplemousse	grapefruit
le	panier	basket
le	panneau	sign (road)
le	pantalon	trousers
le	papier	paper
le	papillon	butterfly
les (f)	Pâques	Easter
le	paquet	packet
le	parc	park
	parce que	because
	paresseux/ paresseuse	lazy
le	parfum	perfume
le	passant	passer by
le	passé	past
le	passe-temps	spare time
la	pâte	pastry
les (f)	pâtes	pasta
	pauvre	poor
le	pays	country
	pendant	during
	penser	to think
le	père	father
	petit	small
le	petit déjeuner	breakfast
les (m)	petits pois	peas
avoir	peur	to be frightened
le	phare	lighthouse
la	pharmacie	chemist's
le	piéton	pedestrian
le	pieuvre	octopus

	French	English
la	piscine	swimming pool
la	pizza	pizza
le	placard	cupboard
	placer	to put/place
la	plage	beach
le	plancher	floor
	pleurer	to cry
il	pleut	it's raining
le	plombage	filling (tooth)
la	pluie	rain
la	plume	feather/fountain pen
	plutôt	rather
la	poche	pocket
la	poêle	frying pan
le	poisson	fish
le	policier	policeman
la	pomme	apple
le	pont	bridge
le	portable	mobile phone
le	porte-monnaie	purse
	porter	to wear/carry
	poser	to put
	potable	drinkable
le	pouce	thumb
la	poule	hen
	pour	for
	pourquoi	why
	pousser	to grow/push
	pratiquer	to practise
	préféré	favourite
	préférer	to prefer
	premier/première	first
	près de	near
le	printemps	spring
	proche	near/close
le	professeur	teacher
la	promenade	walk
	public/publique	public
	puis	then
le	pull	jumper/pullover
	quand	when
	quel/quelle	what/which
	quelque chose	something
	quelquefois	sometimes
la	queue	tail/queue
	qui	who
	quitter	to leave
	ranger les affaires	to put things away
	ravi	delighted
	ravissant	gorgeous
le	récipient	container
la	récré(ation)	breaktime (school)
	regarder	to look at
la	reine	queen

Vocabulary *French to English A-Z*

	remercier	to thank
le	renard	fox
	rencontrer	to meet
le	renne	reindeer
le	repas	meal
la	réponse	reply
	respirer	to breathe
	rester	to stay
le	réveil	alarm clock
	riche	rich
le	rideau	curtain
la	rivière	river
la	robe	dress
le	robinet	tap
le	roi	king
la	route	road
	rusé	cunning
le	saladier	salad bowl
	salé	salty
	sale	dirty
la	salle de classe	classroom
le	salon	lounge
	sauf	except
	sauter	to jump
	sauvage	wild
le	sauvetage	rescue
le	secours	help
la	semaine	week
la	serviette	towel
	sévère	strict
la	sirène	mermaid
la	soeur	sister
avoir	soif	to be thirsty
ce	soir (le soir)	tonight (evening)
le	soleil	sun
	sombre	dark
la	somme	sum (total)
	sonner	to ring
la	sortie	exit
la	soupe	soup
la	souris	mouse
	souvent	often
	sportif/sportive	sporty
	studieux/studieuse	hard working
le	sucre	sugar
	sucré	sweet/sugary
	suivant	following (next)
le	supermarché	supermarket
	surtout	especially
	sympa	kind
le	tapis	carpet
	tard	late
le	téléphone	telephone
la	tempête	storm
la	terre	ground/earth
la	tasse	cup
le	têtard	tadpole
la	taupe	mole
la	terre	earth
la	tête	head
le	tiroir	drawer
	tomber	to fall
	toujours	always
	tous les jours	every day
la	Toussaint	All Saints' day
	tout à coup	suddenly
	tout de suite	immediately
	tout le monde	everyone
	tout le temps	always
le	train	train
	tranquille	quiet
	travailler	to work
	très	very
	tricher	to cheat
	triste	sad
	trop de	too many
le	trou	hole
la	trousse	pencil case
se	trouver	to be found
	trouver	to find
	utiliser	to use
les (f)	vacances	holidays
faire la	vaisselle	to do the washing up
la	valise	suitcase
la	vapeur	steam
le	vent	wind
le	ventre	stomach
	vérifier	to check
le	verre	glass
	verser	to pour
les (m)	vêtements	clothes
le/la	veuf/veuve	widower/widow
la	vie	life
	vieux/vieille	old
	vif/vive	alive
	vilain	naughty
le	village	village
la	ville	town
le	virage	bend (in road)
	vite	quickly
la	voile	sailing
la	voiture	car
la	voix	voice
	voler	to fly/steal
le	voleur	thief
le	voyage	journey
	vrai	true
la	vue	view